Steve Duno

Wszystko o kotach

Z angielskiego przełożyli
Izabella Olejniczak
Paweł Boniecki

Świat Książki

Tytuł oryginału
ONLY CAT BOOK YOU'LL EVER NEED

Redaktor prowadzący
Monika Koch

Redakcja
Małgorzata Garbarczyk

Redakcja techniczna
Julita Czachorowska

Korekta
Małgorzata Juras
Beata Kołodziejska

Copyright © 2005, F+W Publications, Inc.
Published by arrangement with Adams Media, an F+W Publications
Company, 57 Littlefield Street, Avon, MA 02322, USA
Copyright © for the Polish translation by Bertelsmann Media sp. z o.o.,
Warszawa 2007

Świat Książki
Warszawa 2007
Bertelsmann Media sp. z o.o.
ul. Rosoła 10, 02-786 Warszawa

Skład i łamanie
Plus 2

Druk i oprawa
GGP Media GmbH, Pössneck

ISBN 978-83-247-0168-1
Nr 5455

Spis treści

Podziękowania

Szczególne podziękowania dla Debry M. Eldredge, D.V. M., za podzielenie się wiedzą weterynaryjną dotyczącą medycznych wiadomości prezentowanych w tej książce.

Wstęp

K oty to niezwykłe zwierzęta. Potrafią skakać ze stołów na blaty kuchenne z łatwością akrobaty. Bez trudu kryją się w zakamarkach, w które nie mają szans wcisnąć się psy ani ludzie. Ich reakcje są szybsze niż błysk światła. Mimo że koty domowe są znacznie mniejsze od wielu swych dzikich krewnych, to budzą respekt i są nie mniej fascynujące. Potrafią też postawić na swoim. Wystarczy zapytać któregokolwiek właściciela kota, by usłyszeć, że został owinięty przez swojego pupila wokół palca.

My, miłośnicy kotów, jesteśmy zafascynowani naszymi czarującymi podopiecznymi, prawdopodobnie dlatego, że potrafią być tajemnicze i intrygujące. W przeciwieństwie do lojalnych, kochających nas psów, z przysłowiowym sercem na dłoni, koty nie są tak bezpośrednie. Dlatego staramy się nawiązać z nimi kontakt.

Choć koty zapewne uwielbiają swych właścicieli w nie mniejszym stopniu niż psy, nie zawsze to okazują. Ale przychodzi taki czas, gdy możemy się o tym przekonać. Kiedy przytulą się do nas, wznosząc w górę swe wielkie, pełne miłości oczy, z łatwością stopią nasze serce.

Niekiedy zdarza się jednak, że obojętnie odwrócą się do nas plecami i zasną. Osoby, które nie mają kotów, uważają je za zwierzęta chłodne i samolubne. Nic bardziej błędnego! Wprawdzie koty mogą czasami zachowywać się z rezerwą, ale jest to skutek ich naturalnej ostrożności i nieśmiałości, a nie niechęci czy złośliwości.

Chociaż koty są samodzielne, niezależne i potrafią zadbać o siebie, nie są nieczułymi samotnikami. Od tysięcy lat towarzyszą człowiekowi nie z konieczności, ale z wyboru. Koty są z pewnością osobliwymi zwierzętami. Nie oznacza to jednak, że ich zachowania muszą pozostać tajemnicą.

Być może jesteście już właścicielami kota i czasami macie wątpliwości dotyczące zachowania waszego pupila. A może jesteście nowicjuszami, którzy dopiero planują wzięcie kota pod swój dach. Tak czy inaczej, nie zniechęcajcie się. Powinniście nauczyć się myśleć jak wasz kot. Jakie są motywy jego postępowania? Jak można zaspokoić jego potrzeby? Co w jego unikalnej kociej psychice i fizjologii sprawia, że zachowuje się tak, a nie inaczej?

Traktujcie tę książkę jako źródło skondensowanych wiadomości dotyczących kotów. Dowiecie się z niej wszystkiego. Poznacie zarówno zalety wybrania kota jako zwierzęcia domowego, jak i różne kocie dolegliwości, z którymi możecie się zetknąć. Nie wierzcie w dziwne opowieści i stereotypy wygłaszane na temat kotów, które możecie usłyszeć z podejrzanych źródeł. Zwierzęciu o tak złożonej osobowości, nie można przypisać prostych obiegowych opinii. Usiądźcie więc wygodnie i zacznijcie czytać, aby wyrobić sobie własne zdanie.

Pochodzenie kota domowego

Historia kotów domowych jest barwna i długa. Liczy miliony lat. Pomimo to koty wciąż śpią, skradają się, polują i wychowują młode mniej więcej w taki sam sposób, jak robiły to u zarania ludzkiej cywilizacji, z łatwością i sprawnością, których nie utraciły przez wszystkie lata obcowania z człowiekiem. Są wszechstronnymi przedstawicielami królestwa zwierząt. Łatwo przystosowują się do zmian i wspaniale sprawdzają we wszelkich nowych sytuacjach. Koty są mistrzami przetrwania i choć kochają ludzi, wśród których żyją, nie są od nas tak zależne, jak większość zwierząt domowych. W jaki sposób ewoluowali przodkowie kotów? Jak doszło do udomowienia tych zwierząt? Czym różnią się koty domowe od dzikich?

NIECO PREHISTORII

Zarówno przodkowie kotów domowych, jak i człowieka rozwijali się mniej więcej w tym samym czasie, w eocenie, czyli około pięćdziesięciu milionów lat temu. Wszystkie ssaki zawdzięczają szansę rozwoju wyginięciu dinozaurów. Gdyby gady te przetrwały i wciąż przeżywały okres rozkwitu, na świecie nie byłoby miejsca dla ssaków, z wyjątkiem tych najdrobniejszych.

Koty, w tym współczesne lwy i tygrysy, stały się sprawnymi drapieżnikami pod nieobecność dinozaurów. Cieszący się złą sławą tygrys szablozębny, zdolny powalić mamuta, nie powstałby w procesie ewolucji, gdyby przetrwały *Tyrannosaurus rex* czy *Velociraptor*. Wymarcie dinozaurów przysłużyło się ssakom, dając naczelnym i kotom szanse na rozwój, który zaowocował przyjaźnią kotów z człowiekiem.

Skamieniałe szczątki kotów datowane na pliocen, około dwunastu do dwu i pół miliona lat temu, wykazują wiele podobieństw do współcześnie żyjących przedstawicieli tej rodziny. Przodkowie udomowionych kotów odnoszą sukces ewolucyjny od dłuższego czasu. Inaczej niż w przypadku innych domowych zwierząt, jak psy i konie, udomowienie kotów nie spowodowało znaczących zmian w ich budowie i zachowaniu.

SPOTKANIE KOTA Z CZŁOWIEKIEM – UDOMOWIENIE KOTÓW

Ściślejsze związki kota z człowiekiem sięgają początków rozwoju rolnictwa, które stworzyło szansę wyżywienia znacznej liczby ludności użytkującej stosunkowo niewielkie obszary. Zaczęto więc odchodzić od koczowniczego trybu życia. Człowiek nauczył się żyć w jednym miejscu, budować miasta, szkoły i przemysł.

W starożytnym Egipcie i Mezopotamii rozwój rolnictwa osiągnął taki poziom, że pozwolił na gromadzenie zapasów zbóż, które można było użytkować w razie potrzeby lub przeznaczyć na handel. W miarę jak tamtejsze społeczeństwa odnosiły korzyści ze swych rolniczych osiągnięć, pojawił się pewien problem: gryzonie regularnie plądrowały spichlerze. Te małe szkodniki nie tylko zjadały i zanieczyszczały ziarno, ale także przenosiły groźne choroby. Do walki z gryzoniami wykorzystano więc koty – ich naturalnych wrogów. Tak rozpoczął się proces domestykacji tych zwierząt.

W czasach starożytnych kot nubijski był dość pospolity w północnej Afryce. Najprawdopodobniej kota właśnie tego gatunku mieszkańcy Egiptu i Mezopotamii zaczęli użytkować jako tępiciela gryzoni. Kot nubijski, nieco większy od współczesnego kota domowego, stosunkowo łatwo poddawał się udomowieniu i skutecznie ograniczał liczebność populacji gryzoni w spichlerzach, domostwach i ich najbliższym otoczeniu. Koty podobnych rozmiarów występowały również w Europie. Te dawne europejskie dzikie koty, tak jak współczesny żbik (*Felis silvestris*), były bardziej nieufne i agresywniejsze od swych afrykańskich kuzynów. Koty te nie dawały się tak łatwo oswajać. Inny przedstawiciel dzikich kotów – manul (*Felis manul*), prawdopodobnie został oswojony przez mieszkańców starożytnych Chin i zapewne liczne współczesne długowłose koty azjatyckie mają domieszkę jego genów.

 Kocie sprawy: Trzymane pod kluczem
Zanim koty domowe stały się sprzymierzeńcami egipskich rolników w zwalczaniu gryzoni, czczono je jako zwierzęta święte, utożsamiane z egipską boginią płodności i opiekunką ogniska domowego – Bastet. Klasy rządzące w starożytnym Egipcie wierzyły, że koty mają boską moc. Z pewnych zachowań i kocich ruchów Egipcjanie próbowali odczytywać przyszłość. Tak cenili te zwierzęta, że ich wywóz z Egiptu był przez wiele wieków zakazany.

Koty zyskały popularność także w innych regionach. Wraz z rzymskimi, babilońskimi i fenickimi żeglarzami, którzy zabierali je na pokład swoich statków w celu zwalczania gryzoni, dotarły do wielu zakątków starego świata. I tak podbiły Europę, Chiny i Indie, by ostatecznie trafić do Japonii. Gdy oswojone koty nubijskie rozprzestrzeniły się w Europie i Azji, bez wątpienia krzyżowały się ze żbikami i manulami, wskutek czego ich cechy psychiczne i fizyczne ulegały zróżnicowaniu. Współczesne koty domowe są najprawdopodobniej potomkami tych zwierząt, choć w wyniku zabiegów hodowlanych powstało wiele ras, różniących się budową ciała, rozmiarami i barwą.

Stopniowo koty stały się znane na całym świecie. Pod koniec istnienia Cesarstwa Rzymskiego, a zwłaszcza w wiekach średnich, popadły jednak w niełaskę, głównie za sprawą kościoła rzymskokatolickiego. Utożsamiano je ze złymi mocami. W całej ówczesnej Europie panowało powszechne przekonanie, że zwierzęta te służą czarownicom i szatanowi. Wpływowi duchowni oraz świeccy władcy zachęcali do tępienia kotów w imię wiary. Był to smutny okres w dziejach naszych małych przyjaciół, zważywszy na to, jak były czczone i pomocne w starożytności. Koty palono, przeklinano i torturowano. Polowano na nie z psami, które w owych czasach stały się najlepszymi przyjaciółmi człowieka.

 Kocie sprawy: Wielkość ma znaczenie

Obecnie opisano około trzydziestu sześciu gatunków dzikich kotów należących do rodziny kotowatych (Felidae) i jeszcze więcej ich podgatunków. Rozmiary kota domowego porównywalne są z rozmiarami kotów mniejszych gatunków – tylko około kilkunastu gatunków dzikich kotów jest równie małych lub mniejszych. Do tych niedużych należą: kot czarnołapy, kot

kusy, jaguarundi, kot arabski, margaj, kot tygrysi, manul, kot ru-
dy, kot nubijski i żbik.

Kocie zdolności łapania gryzoni zaczęto znowu doce-
niać wraz z szerzeniem się epidemii dżumy w czterna-
stym wieku. Choroba przenoszona przez pchły żyjące na
ciele gryzoni zabiła miliony ludzi. Dopiero śmierć jednej
trzeciej populacji ludności Europy pozbawiła bzdurne
przesądy racji bytu.

Stało się oczywiste, że każde zwierzę polujące na szczury – żywicieli zakażonych śmiertelną chorobą pcheł – jest
na wagę złota.

Od siedemnastego wieku koty wróciły do łask. Częściowo dzięki wzrostowi zainteresowania kocim wdziękiem
i urodą, ale także z powodu zamiłowania kotów do czystości. Tę ostatnią cechę z czasem doceniano coraz bardziej, zwłaszcza po odkryciu drobnoustrojów choroba-
twórczych i dróg szerzenia się chorób. Koty stały się ulu-
bionymi zwierzętami domowymi zarówno arystokratów,
jak i artystów. Rozpoczęto selektywną hodowlę tych
zwierząt w celu utrwalenia pewnych cech, takich jak długość sierści czy wielkość i budowa ciała.

Hiszpańscy, francuscy i angielscy marynarze oraz emi-
granci przywozili koty do obu Ameryk, głównie w celu
ochrony statków i spichlerzy przed gryzoniami. Choć koty nie były w Ameryce tak prześladowane jak w średnio-
wiecznej Europie, to ucierpiały nieco w Nowej Anglii
podczas krótkiego, lecz dramatycznego okresu polowania
na czarownice. Czasy te na szczęście minęły i obecnie koty
są kochane zarówno w Stanach Zjednoczonych, jak i w innych krajach.

WIELCY KUZYNI

Choć znane nam i kochane koty domowe nie są bezpośrednio spokrewnione z dużymi dzikimi kotami, to jednak ich zachowanie jest w wielu przypadkach bardzo podobne. Na przykład wasz mały kotek potrafi się wspaniale skradać. Jego instynkt myśliwski nie ustępuje lamparciemu. Myślenie o kocie domowym jak o miniaturze lamparta pozwoli zrozumieć jego psychikę. Podobieństwo waszego kota do lamparta pod względem zachowania, instynktów i budowy anatomicznej jest większe niż podobieństwo ratlerka do wilka. Mały pies zdany wyłącznie na siebie nie ma szans długo przetrwać w przyrodzie bez pomocy człowieka. Natomiast kotek domowy prawdopodobnie całkiem nieźle sobie poradzi dzięki swej „dzikiej" naturze.

Anatomiczne i behawioralne porównania

Wszystkie koty należą do rodziny kotowatych (Felidae), której przedstawiciele mają wibrysy, czyli włosy zatokowe, ostre zęby i wciągane całkowicie lub częściowo pazury. Zwierzęta te polują aktywnie na zdobycz i żywią się głównie mięsem. Chociaż koty poszczególnych gatunków (ale nie ras) różnią się znacznie pod względem wielkości, wszystkie cechuje bardzo podobna budowa anatomiczna.

Koty domowe mają proporcjonalnie mniejsze nadnercza niż ich dzicy kuzyni; prawdopodobnie dzięki temu łatwiej je oswoić, gdyż hormony wytwarzane przez te gruczoły dokrewne odpowiadają za ucieczkę lub walkę. Mniejsza ilość tych hormonów we krwi kotów domowych sprawia, że zwierzęta te są spokojniejsze i łagodniejsze. Z powodu specyficznej budowy aparatu głosowego lwy, tygrysy, lamparty, jaguary potrafiłyby rykiem postawić na nogi wszystkich mieszkańców bloku. Czy nie jesteście zadowoleni, że wasz mały kotek tego nie potrafi?

 Kocie sprawy: Długie i krótkie ogony

Koty domowe mają stosunkowo długi ogon w porównaniu ze swymi dzikimi pobratymcami. U rysia jest on szczególnie krótki. Jedynie takie koty, jak margaj i ocelot, mają w stosunku do reszty ciała dłuższe ogony niż koty domowe, prawdopodobnie z powodu upodobania do nadrzewnego trybu życia. Kotom tym ogon pomaga utrzymać równowagę, a ocelot potrafi dodatkowo przytrzymać się ogonem gałęzi, choć nie tak sprawnie jak małpy.

Wszystkie koty mają takie same podstawowe odruchy i zmysły, choć u niektórych, na przykład u serwala, słuch jest lepszy dzięki większym małżowinom usznym.

Sierść kotów domowych, w porównaniu z innymi kotami, jest bardzo zróżnicowana, przede wszystkim wskutek prowadzonej w tym kierunku hodowli selektywnej. Koty perskie, na przykład, mają znacznie dłuższą sierść niż koty abisyńskie.

Sierść większości kotów domowych chroni je przed niesprzyjającymi warunkami klimatycznymi. U kotów innych gatunków nie spotykamy takiego zróżnicowania długości sierści i jej umaszczenia. Rodzaj sierści dzikich kotów jest odzwierciedleniem środowiska, w którym żyją. Różnią się one znacznie gęstością sierści i jej umaszczeniem, jednak w przypadku kotów domowych rodzaj włosa i umaszczenie to głównie efekt zabiegów hodowlanych jego właścicieli.

Jak już wspomniano, koty domowe mają zwyczaje łowieckie bardzo zbliżone do zachowań lamparta czy żbika. Podobnie skradają się i wspinają na drzewa. Zwyczaje łowieckie pozostałych przedstawicieli rodziny kotowatych są znacznie bardziej odmienne. Niektóre, jak gepard, wykorzystują prędkość i zwinność, podczas gdy inne, jak ocelot, polegają na zdolności wspinania się na drzewa.

Kocie sprawy: Daleko od wody

Wprawdzie tygrysy nie stronią od wody, ale nie dotyczy to kotów domowych. Wodę jedynie chętnie piją, unikając jej w innych sytuacjach!

W Afryce ludzie często oswajają koty nubijskie i karakale, jednak osobniki dziko żyjące nie dają się obłaskawić w takim stopniu jak koty domowe. Zachowanie kotów większości pozostałych gatunków jest nieprzewidywalne, nie nadają się więc na zwierzęta domowe. Należy zatem porzucić myśl o trzymaniu w domu kociąt rysia czy pumy.

Choć koty są większymi indywidualistami i nie wykazują tak silnych cech zwierząt stadnych jak psy, to jednak między wieloma domowymi kotami wytwarzają się silne więzi. Zwłaszcza jeśli zwierzęta pochodzą z jednego miotu lub poznały się, gdy były jeszcze młode. Niektóre koty przywiązują się nawet do innych czworonożnych członków rodziny – włącznie z psami. Jednakże zwykle preferują towarzystwo swoich właścicieli, a nie innych kotów czy psów. Stanowi to o ich unikalnym wdzięku i jest jedną z cech, z powodu których tak bardzo je kochamy!

Dlaczego wybieramy kota?

Każdy, kto myśli o trzymaniu w domu jakiegoś zwierzęcia, musi dokładnie rozważyć wiele kwestii. Nie trudno dostrzec przewagę psów i kotów nad innymi małymi zwierzętami, takimi jak ryby, ptaki, żółwie czy inne gady. Koty i psy są inteligentniejsze, lubią towarzystwo właścicieli i mają z nimi lepszy kontakt. Zwierzęta te najbardziej przywiązują się do człowieka – nic dziwnego, że tak łatwo podbijają nasze serca. Jednak gdy mamy zdecydować o wyborze psa lub kota, należy rozpatrzyć wiele za i przeciw.

Wprawdzie psy są wspaniałymi towarzyszami, koty mają jednak kilka ważnych zalet, które należy wziąć pod uwagę. Poniżej podano dziesięć najważniejszych powodów, dla których warto wybrać kota.

KOTY NADAJĄ SIĘ DO TRZYMANIA NAWET W MAŁYM MIESZKANIU

Według szacunków amerykańskiego stowarzyszenia wytwórców produktów dla zwierząt mieszkańcy USA mają około 68 milionów psów i 73 miliony kotów. Po raz pierwszy w historii Stanów Zjednoczonych liczba właścicieli kotów przewyższyła liczbę właścicieli psów. Jedną z ważniejszych przyczyn jest wzrost urbanizacji. Miasta są zatłoczone, ruch na ulicach coraz szybszy, ludzie mają mało czasu, a to nie sprzyja posiadaniu psa.

Gdy większość Amerykanów żyła na wsiach i na obrzeżach miast, ich psy miały więcej miejsca do biegania i zabawy zarówno na farmach, jak i w dużych ogrodach przydomowych. Życie psów i ich właścicieli jest prostsze, gdy można otworzyć drzwi domu i wyjść do własnego ogrodu, by pobawić się w nim piłką ze swoim milusińskim.

Obecnie miłośnicy zwierząt mieszkają zwykle w bardziej zatłoczonych okolicach, często samotnie, i spędzają wiele czasu poza domem. Tymczasem z psem trzeba wychodzić na spacery i nie można zostawić go samego na dłużej niż dwanaście godzin.

Psy nie lubią być same zbyt długo. Są bardzo towarzyskie, chętnie przebywają z innymi członkami sfory czy rodziny i rozpaczają, jeśli są same w domu przez wiele godzin. Nuda samotności odbija się negatywnie na ich psychice. Pozostawione zbyt długo mogą odczuwać lęk przed porzuceniem przez swoich opiekunów. Taki stres źle wpływa na psychiczne, emocjonalne i fizyczne zdrowie psa.

Koty są znacznie bardziej samodzielne i lepiej znoszą samotność, gdy ich „ludzka" rodzina przebywa poza domem. Ponieważ nie są zwierzętami stadnymi, nie nudzą się pozostawione same i nie odczuwają wówczas takiego lęku jak psy.

UTRZYMANIE KOTÓW JEST TAŃSZE NIŻ PSÓW I NIE WYMAGA TYLE ZACHODU

Zarówno koty, jak i psy wymagają wiele uwagi i należy otoczyć je opieką. Te drugie jednak są pod tym względem bardziej wymagające. Psy trzeba dość często wyprowadzać na spacer, jedzą więcej niż koty, uwielbiają gryźć zabawki i, co gorsza, różne inne przedmioty, które znajdą się w ich zasięgu... Zdarza im się pobrudzić i w przeciwieństwie do kotów same się nie myją.

Psy zatem są bardziej kłopotliwe i wielu ludzi po prostu nie ma czasu, siły lub pieniędzy, aby wziąć na siebie taką odpowiedzialność.

KOTY ŁATWO UCZĄ SIĘ ZACHOWANIA CZYSTOŚCI

To zadziwiające, ale koty można nauczyć korzystania z kuwety praktycznie wkrótce po przyniesieniu ich do domu. Zwierzęta te instynktownie starają się zagrzebać swoje odchody. Umiejętności tej kocięta uczą się, obserwując analogiczne zachowania matki. Koty są bardzo czyste i gdy raz już wypróżnią się w kuwecie, rzadko (poza wyjątkowymi przypadkami) się zdarza, aby zrobiły to w innym miejscu.

KOTY NIE POTRZEBUJĄ TYLE RUCHU CO PSY

Psy wymagają intensywnych regularnych ćwiczeń i zabaw. Hasając wokół właściciela, są stale gotowe pobiec za piłką. Tymczasem koty nie wymagają takiej aktywności. Ruch jest im wprawdzie potrzebny i chętnie podążają za zabawką lub starają się pochwycić przedmiot, którym machamy im przed pyszczkiem, jednak nie trzeba wyprowadzać ich na spacer ani stale bawić się z nimi. Koty trzymane w mieszkaniu są zwykle zadowolone, jeśli nie muszą go opuszczać. Zazwyczaj są spokojne i na ogół (z nielicznymi wyjątkami) niezbyt hałaśliwe. Nie przejawiają też tendencji do niszczenia rzeczy właściciela.

KOTÓW NIE TRZEBA TYLE SZKOLIĆ

Koty nie wymagają zbytniej tresury. Psom natomiast trzeba wpoić wiele zasad i zakazów, aby zachowywały się właściwie. Nie obejdzie się w ich przypadku bez nauki podstawowych komend. Często właściciel psa musi wydać niemało pieniędzy, by poradzić sobie ze stwarzającymi problemy zachowaniami swojego ulubieńca. Większość kotów natomiast od początku zachowuje się dość poprawnie, nie robiąc zbytniego bałaganu i zajmując się swoimi sprawami.

SIERŚĆ KOTÓW NIE WYMAGA TAK STARANNEJ PIELĘGNACJI

Sierść psów wielu ras wymaga specjalnych zabiegów pielęgnacyjnych. Tymczasem pielęgnacja sierści kotów, nawet długowłosych, nie jest zbyt czasochłonna. Sierść kotów krótkowłosych wymaga jedynie najprostszej pielęgnacji. Nie należy zapominać, że koty, w przeciwieństwie do psów, zwykle same utrzymują sierść w czystości.

KOTY SĄ MNIEJ AGRESYWNE OD PSÓW

Właścicielom kotów łatwiej wynająć mieszkanie, podczas gdy właściciele agresywnych, niebezpiecznych psów mogą mieć z tym problem. Również stosunki z sąsiadami nie zawsze układają się im najlepiej. Koty, w porównaniu z psami, rzadziej przejawiają agresję w stosunku do ludzi. Między innymi z tego powodu właściciele kamienic, wynajmując mieszkania lokatorom, na ogół nie mają nic przeciwko trzymaniu kotów.

KOTY SĄ BARDZIEJ NIEZALEŻNE NIŻ PSY

Jednym z powodów, dla których koty wydają się bardziej dzikie niż psy, jest to, że ich kontakty z człowiekiem prze-

biegają na innej płaszczyźnie. Psy są zwierzętami stadnymi, dość łatwo więc uczą się skomplikowanych zadań,
dzięki czemu ludzie wykorzystują je na wiele sposobów.
Łatwo dostosowują one zachowanie do nowych wyma-
gań i są selekcjonowane pod kątem wielu cech użytko-
wych. Wystarczy spojrzeć choćby na ratlerka i bernardy-
na, aby dostrzec ogromne różnice, niespotykane u zwierząt domowych innych gatunków.

Ponieważ kotów nie wykorzystywano na tak rozmaite
sposoby, to ich cechy fizyczne oraz psychiczne nie były
obiektem intensywnych modyfikacji. Dawne kocie instynkty pozostały w znacznym stopniu niezmienione. Niezależnie od tego, czy ludzie uważają konkretne cechy zachowania się kotów za przykre, czy zachwycające, to niezmiennie
są zafascynowani kocią niezależnością i samodzielnością.

PSY MAJĄ WIĘKSZE WYMAGANIA EMOCJONALNE NIŻ KOTY

Chociaż niektóre koty często dopominają się o przytulanie, okazywanie im uwagi i miłości, to jednak psy są pod
tym względem zwykle bardziej wymagające. Większość
z nich domaga się okazywania im zainteresowania 24 godziny na dobę, co może być trudne, zwłaszcza gdy jesteśmy zmęczeni, zdenerwowani lub po prostu chcemy mieć
trochę spokoju. Nie należy jednak winić za to psów. Większość po prostu wymaga kontaktu z właścicielem.

Kocie sprawy: Na granicy dwóch natur

Kot łączy w sobie niezwykłą kombinację dzikiego i domowego
zwierzęcia. Koty doskonale czują się w domu, nie tracąc nic ze
swoich naturalnych instynktów. Przebywanie z kotem jest jak
uchylanie rąbka tajemnicy dzikiej natury. Pozwala nabrać sza-

cunku dla odwagi i zręczności dzikiego zwierzęcia oraz cieszyć
się towarzystwem puszystego przyjaciela.

Koty nie bawią się w „konwenanse". Chcą być panami
swego życia. Przyjdą do was, gdy zapragną waszego to-
warzystwa i pójdą sobie, gdy będą miały go dość. Bez na-
rzucania się czy wymuszania czegokolwiek – oczywiście
poza jedzeniem lub różnymi smakołykami! W pozostałych przypadkach robią to, na co mają ochotę.

KOTY SĄ CICHSZE OD PSÓW

Psy szczekają; to część ich pracy. Bardziej niż koty bronią
swego domu, dlatego czują potrzebę ostrzegania członków własnego stada o pojawieniu się potencjalnego intru-
za – listonosza czy niespodziewanego gościa.

Jeśli mieszkacie w bloku i macie hałaśliwego psa, możecie mieć z tego powodu nieprzyjemności. Większość kotów zachowuje się bardzo cicho i prawie nigdy nie hałasu-
je na tyle głośno, by mogło to stać się przyczyną konfliktów z sąsiadami.

PODSUMOWANIE

Wszystko, o czym wspomniano, sprawia, że koty lepiej
niż psy nadają się do trzymania w mieszkaniach, zwłaszcza małych. Koty są szczególnie dobrymi towarzyszami
osób samotnych, długo przebywających poza domem. To
nie tylko kwestia upodobań, ale także odpowiedzialności. Trzymanie psa w nieodpowiednich warunkach jest
po prostu okrucieństwem. Dlaczego więc nie zdecydować się na kota, któremu takie warunki bardzo odpowiadają?

Oczywiście koty mają specyficzne cechy, które mogą komuś wydać się trudne do zaakceptowania. Zwykle nie okazują uczuć tak wyraźnie jak psy i z pewnością nie starają się tak gorliwie przypodobać właścicielowi. Opieka nad kotem, który może swobodnie poruszać się po okolicy, wydaje się czasami niewdzięcznym zajęciem – nie należy spodziewać się, że zwierzę będzie nam okazywać wdzięczność za wszystko, co dla niego robimy. Czasami koty zachowują się tak, jakby rozpieszczanie ich było naszym obowiązkiem.

Kocie sprawy: Kocia przyjaźń

Ponieważ koty nie z każdym szybko nawiązują kontakt, niektórzy sądzą, że są chłodne i pełne rezerwy. Jednak koty mogą być zaskakująco czułe. Wielu znawców zachowania kotów zauważyło, że czasami stworzenia te bardziej preferują towarzystwo człowieka niż przedstawicieli własnego gatunku. Gdy przywiążą się do ludzi, traktują ich raczej jak swoich rodziców czy krewnych, a nie „właścicieli".

Podczas gdy niektóre koty to urodzone pieszczochy, inne nie lubią być dotykane i unikają tego typu kontaktów.

Nie należy się więc spodziewać, że kot będzie lubił małe dzieci, które zwykle zbyt intensywnie go ściskają, ganiają i zakłócają spokój. Kot to nie golden retriever, który cierpliwie znosi poszturchiwania, poklepywania czy ciągnięcie za ogon.

Chociaż koty można nauczyć prostych sztuczek, zwykle nie uczą się ich tak szybko i nie powtarzają z taką regularnością jak psy. Koty nie będą się popisywać, aby sprawić wam radość; potrzebują atrakcyjnej zachęty – zwykle w postaci pokarmu. Muszą też mieć do tego odpowiedni nastrój. Nie oczekujcie zatem, że wasz puchaty kot nagle sam z siebie zacznie aportować!

 Kocie sprawy: Zachowanie kociąt

Większość dorosłych kotów przez całe życie wykazuje niektóre zachowania typowe dla kociąt. Na przykład „ugniatają" właściciela łapkami. Kocięta robią to, by pobudzić wydzielanie mleka z sutek matki. Koty mruczą, gdy je głaszczemy, ponieważ robią to jako kocięta, kiedy matka lub rodzeństwo liżą ich futerko.

Koty mogą być wspaniałymi towarzyszami każdego, kto je ceni. Są piękne, pełne wdzięku, lśniące, czyste, wrażliwe, zgodne i czarujące. Są spokojne, lecz dysponują siłą i zwinnością, cechami rzadko spotykanymi u innych zwierząt domowych. Są ciekawskie i mogą być bardzo czułe w stosunku do znanych sobie osób – wystarczająco mądrych, by zachowywać się łagodnie i cierpliwie i nie narzucać się kotu. Kiedy już zasłużycie na kocią miłość i zaufanie, zwierzę będzie się o was ocierać, mruczeć do ucha, delikatnie dotykać łapką waszego nosa, tulić się i układać do snu na waszych kolanach; a kiedy, delikatnie głaskany, zacznie mruczeć z zadowoleniem, osiągniecie stan najwyższej błogości.

Przygarnięcie
bezdomnego kota

Jeśli zdecydujecie, że chcecie mieć kota, nie spieszcie się zbytnio z jego kupnem. Najpierw zastanówcie się nad przygarnięciem bezdomnego zwierzęcia ze schroniska. Nadmierna liczebność populacji kotów stanowi poważny problem i zawsze jest mnóstwo bezpańskich kotów potrzebujących domu. Zanim rozpoczniecie poszukiwanie takiego kota, rozważcie kilka spraw, m.in. jak znaleźć odpowiednie schronisko, o co zapytać, jak radzić sobie z problemami zdrowotnymi i behawioralnymi.

Większość kotów w USA i pozostałych krajach świata to koty nierasowe i zwykle takie można wziąć ze schroniska za darmo lub za niewielką opłatą. Koty rasowe są wszędzie nieliczną mniejszością. Inaczej przedstawia się sytuacja z psami rasowymi, które w Stanach Zjednoczonych i wielu innych państwach stanowią jedną trzecią lub nawet połowę wszystkich psów. W przeciwieństwie do psów, których wielkość i budowa może się znacznie różnić, w zależności od rasy, rasy kotów nie różnią się tak bardzo i nie są aż tak liczne. W związku z tym przygarnięty nierasowy kot nie odbiega zbytnio wyglądem od kota rasowego.

ETYKA ADOPCJI

Każdego tygodnia w schroniskach dla zwierząt w USA dokonuje się eutanazji tysięcy kotów, ponieważ zwierząt tych jest znacznie więcej niż rodzin pragnących je przygarnąć. Liczba sprzedawanych co roku rasowych kotów i kociąt jest znikoma w porównaniu z liczbą nierasowych kotów usypianych w tym samym czasie. Prawie wszystkie rasowe koty z łatwością znajdują właścicieli i nie grozi im utrata życia, gdyż po prostu jest ich mniej niż potencjalnych kupców. Eutanazja bezdomnych kotów to tragedia na ogromną skalę. Jej przyczyną jest ignorancja i brak odpowiedzialności wielu właścicieli kotów, którzy nie sterylizują swoich podopiecznych.

Kocie sprawy: Szlachetnie i taniej

Rasowy kot może sporo kosztować, nawet jeśli nie ma rodowodu. Cena zwierzęcia rodowodowego, o udokumentowanym pochodzeniu, bywa znacznie wyższa i oczywiście zależy od rasy kota. Tymczasem kot nierasowy, przygarnięty ze schroniska, kosztuje znacznie mniej. Symboliczna opłata pokrywa przynajmniej częściowo koszty szczepień i sterylizacji. W niektórych lecznicach zwierzęta wzięte ze schroniska leczone są ze zniżką. Pracownicy schroniska udzielą cennych porad dotyczących opieki nad kotem. Przygarnięcie kota ze schroniska jest zatem niezłym pomysłem.

Koty ze schroniska są nie mniej inteligentne od swoich rasowych pobratymców. Dorównują im zwykle stanem zdrowia (niekiedy są nawet zdrowsze) i mogą stać się równie wesołymi i kochającymi towarzyszami. Nasuwa się zatem pytanie natury etycznej: czy zdecydować się na kota rasowego, wiedząc, że tak wiele nierasowych zwierząt rozpaczliwie potrzebuje domu?

Jeśli zależy wam bardzo na hodowli kotów rasowych, uczestnictwie w wystawach lub na kocie o określonych, utrwalonych przez pokolenia cechach, postarajcie się o zwierzę z rodowodem – o udokumentowanym pochodzeniu i z dobrej hodowli. Jeśli nie, rozważcie przygarnięcie kota ze schroniska. Nie kupujcie zwierzęcia rasowego bez potwierdzającej to metryczki. Nie wiadomo, co z niego wyrośnie.

Nie popierajcie swoim zakupem nieprzemyślanego i bezsensownego rozmnażania zwierząt, których jest już i tak za dużo. Gdyby wszyscy właściciele kotów rasowych, jak i nierasowych, odpowiedzialnie podchodzili do ich rozmnażania, problem bezdomnych kotów przestałby istnieć.

Uroki różnorodności

Decydując się na przygarnięcie nierasowego kotka, nie wiemy, nie licząc zasadniczej barwy futerka, jak będzie wyglądał, gdy dorośnie. Czy będzie długonogim kotem o smukłym tułowiu, czy będzie miał krótkie kończyny i zwartą mocną budowę. Aby się o tym przekonać, musi upłynąć trochę czasu. Jeśli wolicie mieć pewność co do przyszłego wyglądu waszego pupila, musicie zdecydować się na zwierzę rodowodowe. Jednak zagadki mogą mieć także swój urok – poza tym przygarnięty nierasowy kotek będzie jedyny w swoim rodzaju i absolutnie niepowtarzalny!

W przypadku kotów nierasowych ich temperament jest również wielką niewiadomą. Nie da się przewidzieć, jaki będzie charakter kotka ze schroniska, zwłaszcza że zwykle nie znamy jego rodziców ani rodzeństwa. Nie należy się jednak tym zbytnio martwić. Jeśli będziecie mogli poobserwować kotka podczas zabawy i kontaktów z wami, zanim go przygarniecie, zorientujecie się, jakie jest jego usposobienie. Pamiętajcie, że wiele zależy od tego, jak go wychowacie (przypominacie sobie naukowy spór: co ważniejsze, natura czy wychowanie? Oczywiście, obydwa czynniki mają znaczenie!). Jeśli będziecie rozsądni i poświęcicie kotu dużo uwagi, macie szansę wzmocnić jego zalety i delikatnie skorygować niedoskonałości charakteru.

Zdrowi przodkowie

Koty nierasowe od pokoleń tworzą znacznie większą pulę genową w porównaniu z kotami rasowymi. Z tego powodu są na ogół nieco mniej podatne na niektóre zaburzenia anatomiczne, psychiczne i behawioralne. Zazwyczaj rzadziej dotykają je anomalie układu kostno-mięśniowego. Mają też sprawniejszy układ odpornościowy. Kotów cierpiących na choroby dziedziczne nie wolno rozmnażać, niezależnie czy są rasowe, czy nie.

WYBÓR KOTA ZE SCHRONISKA

Jeśli zdecydowaliście się uratować jakiegoś kota ze schroniska – należy się wam uznanie! Zrobicie coś naprawdę dobrego. Najpierw musicie znaleźć w książce telefonicznej numery telefonów do schroniska lub schronisk w waszej okolicy. Mogą to być schroniska prowadzone przez gminy, a także prywatne. Następnie zadzwońcie tam i upewnijcie się, w jakich godzinach najlepiej przyjechać i co ze sobą zabrać. Mimo że schroniska są niedofinansowane, a niektóre utrzymują się głównie z datków, sponso-

ratów i niewielkich opłat za zwierzęta brane do adopcji,
to ich działalność trudno przecenić.

Kocie sprawy: Koty rasowe w schronisku

Nie myślcie, że w schronisku przebywają jedynie nierasowe
koty i kocięta. Czasami, choć znacznie rzadziej, trafiają tam koty rasowe, na przykład perskie czy syjamskie. Zwykle są to
osobniki dorosłe, zagubione lub porzucone, które potrzebują
pomocy tak samo jak koty nierasowe.

W większości schronisk koty do adopcji wydaje się jedynie w określonych godzinach. W tym czasie pracownicy schroniska pomogą wam wybrać zwierzę, dopełnić
wszelkich formalności związanych z adopcją i udzielą dostępnych informacji na jego temat. Mogą też wyjaśnić, jak
dalej się nim opiekować, co należy mu kupić, czym go karmić, a nawet gdzie znaleźć dobrego lekarza weterynarii.

W większości schronisk przebywające tam zwierzęta są
sterylizowane i kastrowane (czasami jest to warunek wy-
dania zwierzęcia) oraz szczepione przeciwko niektórym
chorobom. Koszty tych zabiegów częściowo pokrywane
są z opłat adopcyjnych.

Jeśli to możliwe, nie bierzcie do domu kota poniżej
ósmego tygodnia życia. Kocięta zbyt wcześnie oddzielone
od matki i rodzeństwa bywają lękliwe, agresywne i nietowarzyskie. Gdybyście przypadkiem stali się właścicielami
bardzo młodego kota (może się to zdarzyć, gdy na skutek
niesprzyjających okoliczności kocięta zostaną oddzielone
od matki), będziecie musieli poświęcić mu więcej uwagi
i wysiłku, aby wyrósł na zdrowe, pogodne i towarzyskie
zwierzę.

Grunt to zdrowie

W schronisku weźcie kota na ręce i obejrzyjcie dokładnie, zwracając uwagę na ogólny stan jego zdrowia. Sierść powinna być stosunkowo czysta i gładka. Na skórze nie może być łysych miejsc czy śladów zadrapań, wskazujących na choroby skóry lub alergię. Oczy, uszy i nos nie powinny być zaropiałe. Zwróćcie uwagę, czy kot nie ma wzdętego brzucha, co mogłoby świadczyć, że ma robaki. Sprawdźcie też, czy nie ma sterczących żeber ani innych problemów z układem kostnym, jak zniekształcone kończyny, kręgosłup czy szczęki. Obejrzyjcie nawet zęby i dziąsła. Kot w wieku 8 tygodni powinien mieć komplet mlecznych zębów i dziąsła różowego koloru.

Nie decydujcie się na kota, który kaszle, często się drapie lub wydaje się osowiały, apatyczny czy wychudzony. Zobaczcie, czy w pomieszczeniu kota nie ma śladów biegunki (oraz wyschniętych odchodów wokół jego odbytu). Zaobserwujcie, czy kocię korzysta z kuwety. Jeśli wybierzecie osobnika, który już to potrafi, zaoszczędzicie sobie pracy w domu.

Pytania, które warto zadać w schronisku

Zanim przygarniecie kocię lub dorosłego kota, postarajcie się o nim jak najwięcej dowiedzieć. Oto ważniejsze pytania, które warto zadać pracownikom schroniska:

Dlaczego kot lub kociak przeznaczony jest do adopcji?

Kto był jego poprzednim właścicielem?

Czy wcześniej był źle traktowany?

Czy jego rodzeństwo jest w schronisku? (Jeśli tak, obejrzyjcie je).

Czy jego matka także tu przebywa? (Ją również obejrzyjcie).

Czy zanim podejmiecie decyzję, możecie spędzić z nim nieco więcej czasu?

Czy był badany przez lekarza weterynarii i czy nie jest chory?

Czy był szczepiony i przeciwko jakim chorobom?

Czy wykazywał jakieś wrogie zachowania i brak socjalizacji?

Duży czy mały?

Zwróćcie uwagę na wielkość kota (stosownie do wieku). Czy jest mocniej zbudowany niż inne? Czy sprawia wrażenie długonogiego i smukłego? Dokładne określenie rozmiarów nierasowego kota nie jest niemożliwe. Jeśli szukacie kota o określonej budowie, spróbujcie określić ją na podstawie budowy kocięcia.

Stopień socjalizacji

Kocięta w schroniskach zwykle trzymane są razem; pozwoli to określić wam ich stopień socjalizacji i ocenić, które jest dominujące, uległe, ciekawskie, nieśmiałe lub pewne siebie. Cechy te można dostrzec jedynie, obserwując zwierzęta w grupie. Szukajcie kotka, który swobodnie czuje się wśród swych towarzyszy i jest wami zainteresowany, a przy tym spokojny.

Zróbcie kulkę z papieru i rzućcie ją między kocięta; zobaczcie, które pierwsze podejdzie do niej i jak zareaguje cała grupa. Zwierzę skore do zabawy i nieokazujące strachu może być tym właściwym. Nie wybierajcie kociąt, które sprawiają wrażenie bojaźliwych zarówno w stosunku do was, jak i swoich pobratymców. W późniejszym wieku mogą mieć problemy w kontaktach z innymi. Tym bardziej unikajcie kociąt, które, nieprowokowane, gniewnie prychają i syczą na was lub na inne koty.

WYBÓR ODPOWIEDNIEGO KOCIĘCIA

Ogromna liczba ogłoszeń o sprzedaży kociąt lub chęci ich oddania najlepiej świadczy, że wielu właścicieli nie sterylizuje i nie kastruje swoich zwierząt. Choć to ogromny problem, taka sytuacja stwarza szansę nabycia odpowiedniego zwierzęcia. Jadąc po kotka do prywatnego domu, możemy bowiem zobaczyć jego matkę, a być może cały miot. To świetna okazja, by przekonać się, jaki charakter ma matka kociąt. Jeśli jest lękliwa i niestabilna psychicznie, dobrze się zastanówcie, zanim zdecydujecie się wziąć jej kocię, gdyż może ono wyrosnąć na kota o równie niepożądanych cechach. Jeżeli natomiast jest pewna siebie, ciekawa i zachowuje się swobodnie w waszym towarzystwie, jest szansa, że jej potomek również będzie taki.

Odwiedźcie kocięta, gdy będą miały siedem do ośmiu tygodni. Do tego czasu osłabnie ich fizyczna i emocjonalna więź z matką. Młode, dzikie kotki stają się już dość samodzielne w wieku czterech miesięcy. Obejrzenie całego miotu pozwoli wam dostrzec różnice między osobnikami i wybrać najodpowiedniejszego. Zwróćcie uwagę na wszystkie kocięta i spróbujcie określić ich cechy psychiczne, tak jak opisano to w poprzednim podrozdziale. Osobniki z tego samego miotu są ze sobą od urodzenia i doskonale znają swoje otoczenie oraz siebie nawzajem. Można się więc dobrze zorientować co do ich charakteru.

Biorąc kotka od prywatnego właściciela, nie zapomnijcie o szczepieniach, odrobaczeniu, sterylizacji i opiece weterynaryjnej.

Kocie sprawy: Kotek z dobrego domu
Wizyta w domu, w którym kocięta przyszły na świat, pozwala zorientować się, w jakich warunkach odbywał się ich rozwój.

Jeśli dom jest brudny, a właściciel ma ponadto dwanaście cię-
żarnych kotek, które włóczą się po okolicy, to lepiej szybko się
wycofać. Gdy miejsce jest schludne, a właściciele otwarci i ser-
deczni w stosunku do was i zwierząt, można przypuszczać, że
kocięta są zadbane i stosunkowo zdrowe.

BŁĄKAJĄCE SIĘ KOTY

Ilu z was zdarzyło się otworzyć drzwi mieszkania i natknąć się na zaniedbanego kota, miauczącego żałośnie? Po
nakarmieniu i pocieszeniu znaleziska większość osób, poza nielicznymi wyjątkami, mięknie i wpuszcza kota do domu, nadaje mu imię, zapisuje na wizytę do lekarza weterynarii i czyni członkiem rodziny.

Taki przybłęda często jest wspaniałym towarzyszem.
Okazuje wdzięczność i przywiązuje się do osoby, która go
przygarnęła. Są jednak pewne problemy, z których trzeba
sobie zdawać sprawę, wpuszczając pod swój dach bezdomne zwierzę.

Może ono być nosicielem wielu chorób. Należy być
szczególnie ostrożnym, jeśli w domu jest inne zwierzę.
Choroba może przenieść się ze śliną, jeśli zwierzęta jedzą
z jednej miski, pogryzą się lub liżą sobie wzajemnie futerko. Przebadajcie znalezione zwierzę (i jeśli to konieczne,
rozpocznijcie jego leczenie) pod kątem następujących
problemów zdrowotnych:

- białaczka kotów, zakażenie wirusem niedoboru im-
  munologicznego kotów, wirusowe zapalenie otrzewnej. Wszystkie te choroby wirusowe są nieuleczalne;
- pasożyty wewnętrzne i zewnętrzne, w tym robaki,
  pchły i kleszcze;
- obrażenia odniesione w walkach z innymi kotami

lub psami, w tym rany i owrzodzenia po ugryzie-
niach oraz złamane i zwichnięte kończyny;
• infekcje uszu, problemy z trawieniem i choroby oczu.

Pamiętajcie, że bezpańskie koty zwykle nie są szczepione i mogą być nosicielami wirusa wścieklizny – choroby
zagrażającej życiu wszystkich ssaków, w tym ludzi. Gdy
lekarz weterynarii stwierdzi, że przygarnięty przez was
kot jest zdrowy, zaszczepcie go jak najszybciej.

Problemy behawioralne

Większość kotów, które jakiś czas wałęsały się po ulicach, doświadczyła wielu wstrząsów psychicznych. Właściciele porzucili je lub znęcali się nad nimi, atakowały je
inne zwierzęta, musiały unikać samochodów. W rezultacie są mocno wystraszone i onieśmielone, mogą więc unikać wszelkich kontaktów. Niektóre bywają początkowo
nawet agresywne w stosunku do innych zwierząt. Ponieważ życie na ulicy mogło je ciężko doświadczyć, są często
mniej ufne; aby przeżyć, stały się bardziej bojaźliwe. Takie
koty mogą mniej lubić przytulanie i branie na ręce w porównaniu z kotami przyzwyczajonymi do tego od maleń-
kiego. Zdarza się, że drapią lub gryzą ludzi, którzy zbyt
szybko chcą się z nimi zaprzyjaźnić. Szczególnie powinni
uważać rodzice małych dzieci.

Kocie sprawy: Uczenie dorosłego kota
Uczenie dorosłego kota jest zwykle trudniejsze niż uczenie
młodego. Dorosłe koty, niezależnie od tego, czy były bezdomne, czy nie, mają swoje nawyki, które trudno zmienić. Bądźcie
przygotowani, że może to wymagać wiele pracy i czasu.

Wiele przygarniętych kotów może wciąż domagać się wypuszczania z domu. Bądźcie jednak ostrożni. Pamiętajcie, że jeśli ulegniecie naprzykrzającemu się miaukliwemu „wypuść mnie", narazicie kota na ryzyko walki z innymi kotami oraz zakażenie chorobami i zarażenie pasożytami, które przyniesie do domu.

Niektóre przygarnięte z ulicy koty przez pewien czas nie korzystają z kuwety, gdyż nie spotkały się z czymś takim lub nie zakopywały swoich odchodów, pozostawiając je jako oznakę dominacji. Nie oznacza to, że nie nauczą się korzystać z kuwety, ale zwykle wymaga to czasu. Bądźcie cierpliwi – kilka wskazówek oraz zainteresowanie, jakie okażecie swojemu podopiecznemu, powinny dać wspaniałe rezultaty.

Jeśli znajdziecie kota, ale uznacie, że nie możecie się nim zaopiekować, zawieźcie go do schroniska lub postarajcie się znaleźć mu odpowiedni dom, aby miał szansę na przygarnięcie przez oddaną, cierpliwą osobę.

Sierść długa i krótka

Nierasowe koty są zwykle krótkowłose, ale zdarzają się też długowłose. Wszystkie jednak linieją; przy długowłosym trzeba trochę częściej odkurzać. Koty długowłose wymagają staranniejszej pielęgnacji sierści, podczas gdy krótkowłosych nie trzeba tak często szczotkować. Koty krótkowłose mają też zwykle mniej problemów z kulami sierści w przewodzie pokarmowym. Jeśli zdecydujecie się na kota długowłosego, przygotujcie się na czesanie go szczotką i grzebieniem raz w tygodniu, aby usunąć liniejącą sierść i utrzymać jego szatę w dobrej kondycji, bez kołtunów.

Koty długowłose są zwykle nieco mniej aktywne i mniej wylewne niż krótkowłose. Jeśli chcecie mieć aktywniejszego kota i nie lubicie szczotkowania ani odkurzania, krótkowłose zwierzę może być dla was odpowiedniejsze. Gdy natomiast nie macie nic przeciwko szczotkowaniu i wolicie spokojniejszego zwierzaka, odpowiedniejszy będzie kot długowłosy.

Razem raźniej

Choć koty dobrze czują się we własnym towarzystwie i potrafią zajmować się sobą przez cały dzień, to może warto zastanowić się nad przygarnięciem dwóch kotów, zwłaszcza jeśli mieszkacie samotnie i większą część dnia spędzacie poza domem.

Koty, które zbyt długo przebywają same, często zachowują się niewłaściwie. Znudzony lub znerwicowany osobnik może zniszczyć rośliny doniczkowe i tapicerkę mebli, głośno się zachowywać, a nawet zaprzestać używania kuwety. Zbyt długa samotność może nawet u kota wywołać stres i odbić się na jego zdrowiu.

Oto kilka zalet przygarnięcia dwóch kociąt z tego samego miotu:

1. Będą sobą zajęte, co zapobiegnie niszczeniu sprzętów i stresowi związanemu z rozłąką.

2. Ich proces socjalizacji będzie przebiegał bardziej prawidłowo niż kociąt chowanych osobno. Może to w przyszłości ułatwić wprowadzanie kolejnych zwierząt do domu.

3. Gdy dorosną, zachowają trochę cech kociąt i będą łatwiej akceptowały obcych oraz chętniej się bawiły.

Koszt utrzymania dwóch nierasowych kotów nie będzie o wiele większy niż jednego. Oczywiście sterylizacja i szczepienia to podwójny wydatek. Ale skoro i tak konieczne będzie kupienie kuwety, słupka do drapania, zabawki itp., to czemu nie zdecydować się na dwa osobniki? Najważniejsze, że uratujecie dwa życia, a nie jedno.

Jednak przygarnięcie na raz większej liczby kotów nie jest dobrym pomysłem. Wśród trzech lub czterech kociąt nieustannie powstają konflikty. Zaczynają narastać problemy terytorialne, co prowadzi do walk i zranień. Podjęcie decyzji o przygarnięciu kolejnego kota należy zatem odłożyć na jakiś czas.

ZALETY DOROSŁOŚCI

Wzięcie dorosłego lub dorastającego kota ma swoje zalety – oto one:

1. Dorosły kot częściej zachowuje się właściwie. Prawdopodobnie zniszczy mniej rzeczy w domu.
2. Psychika dorosłego kota jest już ustabilizowana, wiadomo zatem, z kim mamy do czynienia.
3. Dorosły kot zwykle umie już korzystać z kuwety.
4. Dorosły kot już nie rośnie, więc unikniecie niespodzianek.

Przygarnięcie dorosłego kota ma jednak również wady.

1. Zachowanie dorosłego kota trudniej zmienić. Jeśli niektóre aspekty tego zachowania są niepożądane, to mogą stanowić problem.
2. Schronisko może działać bardziej stresująco na dorosłego kota niż na kocię, ponieważ może on gorzej znosić towarzystwo innych kotów i psów.
3. Dorosły kot, który trafia do schroniska, to na ogół zwierzę zagubione, dzikie lub porzucone, przywykłe do jakiegoś trybu życia. Koty są zwierzętami mający-

mi swoje przyzwyczajenia, a ich zmiana wywołuje u nich stres i niepokój.

Z powodu stresogennych przyczyn trafne określenie prawdziwego charakteru dorosłego kota przebywającego w schronisku może być trudne. Wzięcie dorosłego kota od prywatnego właściciela jest prawdopodobnie lepszym pomysłem. Łatwiej da się przewidzieć jego temperament, obserwując zwierzę we własnym domu.

Jeśli koty nie są rodzeństwem lub nie wychowywały się razem, to przygarnięcie dwóch dorosłych zwierząt z różnych środowisk nie jest dobrym pomysłem. Jeżeli się na to zdecydujecie, pamiętajcie, że koty to zwierzęta terytorialne i być może będziecie zmuszeni rozdzielać je podczas wielu walk.

Poszukiwanie
rasowego kota

Jeśli zdecydowaliście się na kota rasowego, macie do wyboru około czterdziestu ras, uznawanych przez krajowe i międzynarodowe organizacje felinologiczne. Nie kupujcie jednak kota w sklepie zoologicznym – takich okrutnych, bezdusznych i nastawionych jedynie na zysk miejsc należy unikać za wszelką cenę. Pomocne będą wskazówki, jak znaleźć dobrego hodowcę oraz o co warto go zapytać.

Rasowy kot może niemało kosztować. Hodowla wymaga nakładów, a hodowca chciałby, aby się zwróciły, i to najlepiej z nawiązką. Płaci się także za unikalność rasy. Kotów rasowych jest znacznie mniej niż nierasowych i do niektórych hodowców trudno dotrzeć. W tej sytuacji można zapłacić za kota więcej, niż jest naprawdę wart.

PRZEWIDYWALNE CECHY

Kupowanie rasowych kociąt, w przeciwieństwie do nierasowych, nie przypomina kupowania przysłowiowego kota w worku. Koty rasowe wyhodowano w wyniku selekcji i pewne cechy ich wyglądu zostały utrwalone. Koty hawańskie brązowe powinny wyglądać podobnie, niezależnie od tego, czy przyszły na świat w USA, czy w Peru. Zanim kot dorośnie, wiadomo, jak będzie wyglądał w przyszłości.

Temperament kotów rasowych również jest dość przewidywalny i to także dzięki hodowli selektywnej. Wszystkie koty perskie zachowują się z pewną rezerwą, a koty syjamskie są ruchliwe i dość głośne. Cechy te są w pewnym stopniu wrodzone.

Chociaż rasowe koty mogą być bardziej narażone na pewne choroby, większość hodowców stara się jednak wyeliminować je w swoich hodowlach. Problem nie jest więc aż tak poważny, jak się czasem może wydawać, pod warunkiem że mamy do czynienia z odpowiedzialnymi hodowcami.

Kocie sprawy: Odpowiedzialność hodowcy

Hodowla kotów nie jest łatwa ani nie daje nadziei na duży zysk – zwykle nie jest zbyt dochodowa. Większość hodowców podejmuje to wyzwanie z miłości do wybranej rasy, albowiem poniesione koszty zwracają się z trudem. Nie rozmnażajcie kotów, jeśli chcecie jedynie pokazać dzieciom „cud narodzin". Jeżeli rzeczywiście pragniecie, by się czegoś nauczyły, zabierzcie je do schroniska, by zobaczyły, ile jest niechcianych kociąt.

Chcąc się przekonać, która rasa jest dla was najodpowiedniejsza, szukajcie informacji na wystawach kotów oraz w książkach i czasopismach.

ODPOWIEDNI HODOWCA

Gdy wybierzecie już właściwą rasę, poszukajcie dobrego hodowcy. Taki hodowca powinien:

1. Mieć koty rasowe zarejestrowane w organizacjach felinologicznych: Polskim Związku Felinologicznym lub Stowarzyszeniu Hodowców Kotów Rasowych

w Polsce. Prowadzą one ewidencję kotów rasowych
i wydają rodowody potomkom zarejestrowanych
zwierząt. Jeśli koty hodowcy nie są zarejestrowane
i kocięta nie mają metryczek, nie kupujcie ich.

2. Przestrzegać „standardu rasy", czyli zestawu charak-
terystycznych cech, które odróżniają ją od innych.
Zaznajomcie się ze standardami waszych ulubio-
nych ras. Jeśli koty hodowcy im nie odpowiadają,
poszukajcie innej hodowli. Zdarza się, że chciwi
i niesolidni hodowcy sprzedają jako pełnowartościo-
we także kocięta i koty, które nie w pełni odpowiadają standardowi rasy.

3. Pozwolić wam sprawdzić, czy jego koty nie mają takich wad budowy, jak:

- załamany ogon,
- niepożądany tyło- lub przodozgryz,
- polidaktylia (dodatkowe palce u kończyn),
- ślady operacji bioder, kulawizna, inne problemy
  z kończynami lub kręgosłupem,
- nieprawidłowa barwa lub długość sierści,
- nieprawidłowy kształt głowy,
- nieprawidłowa długość ogona,
- nieproporcjonalna budowa ciała,
- nieprawidłowa barwa oczu.

4. Interesować się wami nie mniej, niż wy ich podopiecznymi. Odpowiedzialnym hodowcom zależy, aby ich
koty trafiły do osób, które okażą im miłość i będą się nimi prawidłowo opiekować. Jeśli hodowca nieźle was
przeegzaminował, powinniście być zadowoleni;
świadczy to, że nie interesuje go wyłącznie łatwy zbyt
kociąt. Gdy stwierdzicie natomiast, że nie ciekawi go
nic poza zasobnością waszego portfela, to zły znak.

5. Przykładać dużą wagę do doboru pary hodowlanej, a nie łączyć dowolnej kotki będącej w rui z pierwszym lepszym samcem. Tylko nieodpowiedzialni hodowcy łączą przypadkowe dwa koty, licząc na łatwy zarobek.

6. Trzymać koty w jak najlepszych, higienicznych warunkach. Hodowcy, których koty przebywają w brudnych, zatłoczonych pomieszczeniach, nie są profesjonalistami i brak im odpowiedzialności. Należy ich zatem unikać.

7. Jak najwcześniej rozpocząć socjalizację kociąt z innymi kotami i ludźmi. Brać zwierzęta na ręce już od pierwszego tygodnia życia, aby mieć pewność, że wyrosną na szczęśliwe koty, ufne wobec ludzi. Unikajcie hodowców, którzy izolują kocięta od ludzi lub twierdzą, że wczesna socjalizacja jest zbędna.

8. Często uczestniczyć w wystawach kotów, aby poszerzać swoje kwalifikacje i znać najnowsze trendy w tej dziedzinie. Omijajcie hodowców, którzy unikają wystaw.

Poszukiwanie hodowcy

Gdzie zatem znaleźć takich wspaniałych, odpowiedzialnych i kochających koty hodowców? Jest kilka możliwości.

- **Organizacje felinologiczne** – hodowcy kotów rasowych zrzeszeni są w Polsce w organizacjach wymienionych na końcu książki. Skontaktujcie się z wybraną organizacją, by dowiedzieć się o adresy jej oddziałów czy klubów, najlepiej jak najbliżej waszego miejsca zamieszkania, oraz kiedy są otwarte. Podczas wizyty w oddziale lub klubie uzyskacie wiele informacji dotyczących hodowli prowadzonych w okolicy. Warto też poszukać ogłoszeń i informacji na stronach internetowych danej organizacji.

- **Czasopisma specjalistyczne** – poświęcone kotom (*Kocie Sprawy*) oraz innym zwierzętom zawierają ogłoszenia hodowców o sprzedaży kociąt. Ich lektura umożliwi znalezienie sporej liczby hodowców.
- **Lekarze weterynarii** – znają hodowców i właścicieli kotów, którzy leczą u nich swoje zwierzęta. Poproście ich o polecenie dobrego hodowcy lub o skontaktowanie was z właścicielem kota waszej ulubionej rasy. Osoba ta może skierować was do hodowcy swojego kota.
- **Wystawy kotów** – renomowani hodowcy wystawiają koty na krajowych i międzynarodowych wystawach. Wybierzcie się na którąś z nich i porozmawiajcie z nimi. Opinie wyrobicie sobie na podstawie oceny potomstwa ich kotów. Zobaczcie, który kot wygrywa i weźcie wizytówkę jego hodowcy!
- **Ogłoszenia drobne** – są zamieszczane w prasie i Internecie zarówno przez odpowiedzialnych, jak i niegodnych zaufania hodowców. Odwiedźcie więc wielu z nich, zanim podejmiecie decyzję.

Gdy już znajdziecie odpowiednich hodowców, umówcie się z nimi i obejrzyjcie ich hodowlę, stosując się do podanych wcześniej wskazówek. Zwróćcie uwagę na warunki, w jakich trzymane są zwierzęta, i czy hodowla prowadzona jest profesjonalnie. Obserwujcie dorosłe koty i kierujcie się własnym instynktem, oceniając hodowcę.

Może się zdarzyć, że gdy wybierzecie hodowcę, przyjdzie wam trochę poczekać, aż urodzą się kocięta. Wybierając kota, posłużcie się kryteriami opisanymi w rozdziale 3.

Dodatkowe kryteria

Wybierając rasowego kotka, można rozważyć też dodatkowe kryteria. Cena waha się w zależności od tego, czy kotek będzie „wystawowy", czy nie. Oznacza to, że zwierzę o cechach uważanych za bliskie „ideału" ma szansę odnosić sukcesy wystawowe, więc będzie droższe. Z drugiej strony kotek z niewielkimi wadami, jak na przykład niewłaściwy kolor lub trochę krótszy pyszczek, będzie kosztować mniej, ale i tak będzie zdrowy i efektowny.

Możecie się spodziewać, że hodowca zechce znaleźć nabywców, którzy będą dbali o kotka, wychowają go w odpowiednich warunkach i wywiążą się z umowy. Może ona dotyczyć obowiązku sterylizacji, zakazu wypuszczania z domu czy usuwania pazurów.

Kocie sprawy: Kot wystawowy czy niewystawowy

Wielu hodowców sprzedaje kocięta „wystawowe" i „niewystawowe". Te pierwsze będą mogły uczestniczyć w wystawach i być może osiągną sukcesy. Chociaż niewystawowe kocięta nie odpowiadają w pełni wzorcowi rasy, a więc nie zdobędą medali, to może warto wziąć je pod uwagę, pod warunkiem że ich wady nie są poważne i nie wpływają na stan zdrowia.

PYTANIA DO HODOWCY

Gdy już znajdziecie hodowcę, który wyda się wam godny zaufania, powinniście zadać mu kilka ważnych pytań:

1. Kiedy będzie można kupić kocięta? Odpowiedzialni hodowcy nie mają kociąt na sprzedaż przez cały rok;

w przeciwieństwie do „fabryk kociąt", nastawionych wyłącznie na łatwy zysk. Jeśli jesteście zdecydowani na kota rasowego, to być może będziecie musieli na niego trochę poczekać.

2. W jakim wieku są kocięta, które sprzedaje pan/pani nowym właścicielom? Żaden szanujący się hodowca nie sprzeda ich, zanim nie ukończą przynajmniej 10–12 tygodni. Pamiętajcie, że kocięta, które opuszczą matkę i miot zbyt wcześnie, nie przeszły w pełni procesu socjalizacji i mogą wyrosnąć na koty o niemiłym usposobieniu. Poza tym bardzo młode kocięta nie będą odrobaczone i zaszczepione.

3. Czy kocięta trzyma pan/pani w mieszkaniu, czy w klatkach? Większość odpowiedzialnych hodowców trzyma zwierzęta w domu, aby przyzwyczajały się do normalnego, domowego życia. Kocięta trzymane w klatkach, na przykład w garażu, nie będą zbyt towarzyskie i dobrze wychowane.

4. Ile ma pan/pani dorosłych kotów hodowlanych? Bądźcie ostrożni, jeżeli hodowca ma więcej niż osiem czy dziesięć kotów hodowlanych. Przypomina to wówczas „fabrykę kociąt". Odpowiedzialnemu hodowcy nie zależy na liczbie kociąt, ale na ich jakości.

5. Czy ma pan/pani obecnie koty z tytułem championa lub interchampiona? Większość hodowców dąży do tego, aby ich koty zdobywały wyróżnienia na wystawach. Kocięta po rodzicach championach będą prawdopodobnie pięknymi reprezentantami rasy. Hodowcy bez ambicji, których interesuje jedynie liczba kociąt i łatwy zysk, zwykle nie mają zwierząt hodowlanych, które mogłyby zabłysnąć na wystawach.

6. Czy pana/pani koty są regularnie badane pod kątem białaczki kotów? Ta nieuleczalna choroba może być przyczyną śmierci wszystkich kotów w hodowli i rozprzestrzenić się po okolicy. Odpowiedzialny hodowca często bada swoich podopiecznych.

7. Jaką gwarancję daje pan/pani na kocięta? Hodowcy mogą zagwarantować nabywcy dobry stan zdrowia zwierząt przez okres dwóch–trzech tygodni oraz brak poważnych wad wrodzonych na okres pół roku. Jeśli hodowca się na to nie zgadza, lepiej poszukać innego.

8. Czy szczepi pan/pani i odrobacza kocięta? Odpowiedzialni hodowcy zawsze to robią. Jeśli hodowca odpowie, że to nie jego sprawa, poszukajcie innego.

9. Jakie dokumenty otrzymacie przy kupnie? Dobry hodowca wręcza kupującemu następujące dokumenty:

- pisemną gwarancję stanu zdrowia zawierającą klauzulę dotyczącą wad wrodzonych,
- pisemną umowę kupna-sprzedaży zawierającą datę jej zawarcia i cenę kotka,
- rodowód kota,
- ewentualne dodatkowe dokumenty dotyczące na przykład: obowiązku sterylizacji, udziału w wystawach, dalszej hodowli itp.,
- wskazówki co do diety, dalszych szczepień i odrobaczania oraz opieki nad kotem,
- książeczkę zdrowia z wpisami dotychczasowych szczepień i odrobaczenia,
- fotografie kota z rodzeństwem,
- fotografie rodziców kota,
- kopie rodowodów rodziców kotka.

10. Czy wszystkie koty i kocięta mają książeczki zdrowia z wpisami niezbędnych szczepień i odrobaczenia? Odpowiedzialni hodowcy powinni je wam okazać.

11. Czy utrzymuje pan/pani kontakt z właścicielami kociąt z wcześniejszych miotów? Brak takich kontaktów powinien podważyć zaufanie do hodowcy.

12. Czy można obejrzeć całą hodowlę? Dobry hodowca nie ma nic do ukrycia. Jeśli nie będziecie przeszkadzać karmiącym matkom, nie powinien to być problem. Złe warunki hodowli, przegęszczenie i brud mogą spowodować, że hodowca będzie się starał wykręcić i nie wyrazi zgody.

13. Czy macie dokonać przedpłaty? Hodowca może zażyczyć sobie zaliczki, aby mieć pewność, że odbierzecie zamówionego kotka. Daje to wam gwarancję, że wybrany kot nie zostanie sprzedany komu innemu. Jeśli jednak hodowca zażąda zbyt wysokiej przedpłaty, to sytuacja może się wydać podejrzana.

14. Czy musicie od razu zapłacić całą kwotę?

W wyjątkowych przypadkach hodowcy zgadzają się na zapłatę ratami lub na tzw. warunki hodowlane, co oznacza, że możecie się umówić na spłatę kotka po odchowaniu miotu lub na jeszcze innych warunkach.

Kocie sprawy: Kocurek czy koteczka?

Decyzja, jaką wybrać płeć, samczyka czy samiczkę, nie powinna nastręczać trudności. Generalnie zachowują się one dość podobnie, z pewnymi jednak różnicami. Kocurki są nieco bardziej otwarte i ciekawskie, podczas gdy koteczki mogą zachowywać się z większą rezerwą. Samczyki bywają zwykle trochę większe i bardziej lubią się włóczyć, a także mogą być nieco bardziej wojownicze. Jednak niektóre samiczki im w tym dorównują. To tylko orientacyjne różnice; pamiętajcie, że koty znacznie różnią się między sobą pod względem zachowania.

UWAGA NA SKLEPY ZE ZWIERZĘTAMI!

Nigdy nie kupujcie kociąt w sklepie. Koty oferowane (u nas, na szczęście, rzadko) w sklepach zoologicznych pochodzą zwykle z dużych hodowli „produkujących" w byle jakich warunkach wielką liczbę słabych osobników. Zwierzęta te są zwykle zaniedbane zarówno pod względem fizycznym, jak i psychicznym. Często są poważnie chore lub zakażone. Zazwyczaj zostają odłączone od matek i rodzeństwa już w wieku tygodnia czy dwóch, i wywiezione. Nie prowadzono więc u nich socjalizacji i często są zestresowane. Zrezygnujcie zatem z kupienia pod wpływem impulsu pierwszego, słodkiego kotka, jakiego zobaczycie w sklepowej witrynie – nie popierajcie okrutnego procederu, urągającego wszelkim zasadom hodowli.

Pierwsze kroki
w nowym domu

Kocięta to figlarne, ciekawskie, małe stworzenia, których wszędzie jest pełno. Zanim więc przywieziecie kotka, musicie odpowiednio zabezpieczyć dom. Przygotujcie też wcześniej niezbędne akcesoria, takie jak naczynia na pokarm, kuweta, słupek do drapania, transportówka, zabawki, grzebień i szczotka, obróżka z identyfikatorem i zestaw pierwszej pomocy. W tym rozdziale dowiecie się wszystkiego, co niezbędne, by wasz czworonóg zaaklimatyzował się w nowym miejscu. Od zapoznania go z dziećmi i zwierzętami domowymi, po przyzwyczajenie do nowego miejsca i nowych zwyczajów.

CZAS NA ZADOMOWIENIE

Gdy wasza „futrzana kulka" wkroczy nieporadnie do domu, usiądźcie przez chwilę w pewnej odległości od niej, aby spokojnie do was przywykła. Zanim udacie się do pracy i zostawicie słodkie maleństwo samo na cały dzień, musicie się poznać, a kotek powinien poczuć się swobodnie. Pamiętajcie, że znalazł się w nieznanym miejscu; musi trochę potrwać, zanim przyzwyczai się do nowego otoczenia.

Najlepiej przynieść kotka do domu na początku waka-
cji. Tydzień czy dwa spędzone razem nie tylko pozwolą
wam nawiązać z nim kontakt, ale także umocnią powstałe
więzi.

Wy poznacie unikalną osobowość swojego kota, a on
będzie mógł nauczyć się co mu wolno, a czego nie w nowym domu. Jeśli nie możecie poświęcić całego tygodnia,
zaplanujcie przywiezienie kotka na początku długiego
weekendu.

W DOMU CZY NA ZEWNĄTRZ?

Zdecydujcie zawczasu, czy wasz kot będzie mógł wychodzić z domu. Obecnie w większości okolic, zwłaszcza
w miastach, istnieje niebezpieczeństwo wypadków oraz
ryzyko chorób i śmierci. Kot może zostać pogryziony, za-
każony lub zabity przez psy, kuny lub innego kota bronią-
cego własnego terytorium. Niezliczona liczba kotów ginie
każdego roku w wypadkach drogowych lub innych, wywołanych nieprzyjaznym środowiskiem, które my, ludzie,
stworzyliśmy.

Koty, które mogą przebywać poza domem, żyją znacznie krócej niż koty domowe. Częściej zostają zranione,
mają gorszy kontakt z ludźmi i innymi zwierzętami i częściej niż powinny trafiają do lekarza weterynarii. Jeśli
chcecie, aby wasz kot długo cieszył się życiem, nie wypuszczajcie go z domu.

Trzymając kota w domu, uniemożliwiacie mu polowa-
nie na małe zwierzęta, takie jak ptaki. W ten sposób
uchronicie te stworzenia przed hordami kotów biegają-
cych i starających się je zabić. Drobne zwierzęta nie mają
łatwego życia i bez naszych podopiecznych, zakłócają-
cych równowagę w przyrodzie.

Kocie sprawy: Grunt to konsekwencja

Koty, podobnie jak dzieci, wymagają konsekwentnego postępowania. Potrzebują przewidywalnego, bezpiecznego otoczenia, bez żadnych niespodzianek czy nagłych wstrząsów. Przestrzegajcie stałych pór karmienia, czesania i bawienia się ze swoim kotem, każdego dnia w tych samyc h miejscach. Spróbujcie kłaść się spać i wstawać o stałych porach. I co najważniejsze, przestrzegajcie wszelkich reguł, jakie ustaliliście!

Jeśli stworzycie kotu w domu odpowiednie warunki, nie będzie potrzebował wychodzić na zewnątrz. Kotów trzymanych w domu od małego zwykle nie ciągnie na zewnątrz, ponieważ dom jest ich terytorium i nie czują potrzeby opuszczania go.

Przygarnięty, dorosły kot może początkowo dopominać się o wyjście na zewnątrz, jeśli tak był chowany. Prawdopodobnie będzie siedzieć przy oknie i żałośnie miauczeć. Może także próbować wymknąć się przez otwarte drzwi. Musicie o tym pamiętać i ostrzec rodzinę oraz przyjaciół, aby zwracali na to uwagę. Po czterech czy pięciu miesiącach zwierzę prawdopodobnie przywyknie do nowej sytuacji i uzna dom za swoje nowe terytorium.

Niektórzy ludzie uważają, że uniemożliwianie zwierzęciu wyjścia na zewnątrz jest okrutne, ale tak naprawdę okrutne jest uleganie zachciankom kota, wiedząc, że narażamy go na niebezpieczeństwo. Okrucieństwem jest pozwalanie kotu na wałęsanie się bez opieki. Jeśli uważacie, że wasz kot powinien zaczerpnąć świeżego powietrza, to wyprowadzajcie go na smyczy lub wypuszczajcie na zewnątrz tylko na małym bezpiecznym terenie, z którego nie będzie mógł uciec. Może to być na przykład zabudowany balkon lub zadaszona woliera, którą wybudujecie w ogródku. Nigdy nie zostawiajcie kota bez opieki!

PRZYGOTOWANIE DOMU

Zanim przywieziecie kota, sprawcie, aby wasz dom był dla niego bezpieczny. Koty (zwłaszcza kocięta) uwielbiają wchodzić we wszelkie szpary i zakamarki, w tym na pawlacze i szafy. Potrafią nawet wcisnąć się w miejsca, gdzie żaden pies nie próbowałby się dostać. Oto kilka rad, jak zwiększyć bezpieczeństwo waszego kota w nowym otoczeniu:

1. Sprawdźcie, czy nie ma jakichś dróg ucieczki, które umożliwiłyby kotu wydostanie się na zewnątrz. Jeśli sztuka ta uda się zwierzęciu już w ciągu pierwszych kilku dni pobytu w nowym miejscu, nie będzie miało żadnego wyobrażenia o tym, gdzie jest jego „dom". Może stracić życie lub przygarnie go inny miłośnik zwierząt.

2. Zainstalujcie specjalne zamknięcia na szafkach i szufladach, zabezpieczające przed ich otworzeniem, nawet jeśli w środku nie ma nic niebezpiecznego. Nie chcecie przecież, aby wasz kot nauczył się je otwierać i dostał się do potencjalnie szkodliwych rzeczy. Nie bylibyście też zapewne zadowoleni, stwierdzając po powrocie do domu, że wszystkie zapasy zostały splądrowane!

3. Załóżcie specjalne zaślepki na wszystkie nieużywane gniazdka elektryczne. Wścibskie zwierzątko może wcisnąć łapki wystarczająco głęboko, by spotkała je przykra niespodzianka.

4. Ograniczcie liczbę przewodów elektrycznych i przedłużaczy. Kocięta lubią się nimi bawić. Mogą je po-

gryźć i zostać nawet śmiertelnie porażone prądem. Schowajcie, jeśli to możliwe, przewody pod dywan lub poprowadźcie je wzdłuż listew bądź pod meblami. To, czego nie widać, nie budzi zainteresowania.

5. Usuńcie wszelkie potencjalnie niebezpieczne substancje chemiczne poza terytorium przebywania kota. Każdy ma w domu pod zlewem lub umywalką wybielacze, proszki do czyszczenia, środki owadobójcze, odplamiacze czy rozpuszczalniki. Nie zapomnijcie zabezpieczyć szafek, aby kot nie mógł dobrać się do ich zawartości. Nie sądźcie, że rzeczy położone wyżej są dla kota niedostępne. Trzymając kota, trzeba brać wszystko pod uwagę. Właścicielom, którzy mają kota po raz pierwszy, zwłaszcza tym, którzy wcześniej mieli psy, zdarza się popełniać ten błąd. Pamiętajcie, koty potrafią skakać i doskonale się wspinać.

Rośliny trujące

Koty lubią ogryzać rośliny domowe, musicie zatem wiedzieć, że liczne popularne rośliny doniczkowe i ogrodowe są trujące nawet w niewielkich ilościach. Oto lista popularnych roślin trujących:

- azalie
- bluszcze
- choiny kanadyjskie
- cisy
- diffenbachie
- filodendrony
- grzyby
- hortensje
- jemioły
- kaktusy (niektóre)
- konopie indyjskie
- krokusy
- lilie
- liście pomidorów
- liście ziemniaków
- narcyzy
- oleandry
- orzechy włoskie
- psianki
- rośliny motylkowe

- różaneczniki
- tytoń
- wilczomlecze
- żonkile

Jeśli wasz kot zje fragment którejś wymienionej rośliny, jak najszybciej zgłoście się z nim do lekarza weterynarii.

TO, CO NIEZBĘDNE

Każde zwierzę w domu potrzebuje kilku niezbędnych rzeczy. Zanim więc wpuścicie pod wasz dach kota, powinniście je przygotować.

Coś na ząb

Pożywny pokarm to podstawa. Jeśli nie wiecie, czym karmić kota, zapytajcie o to hodowcę, pracowników schroniska lub lekarza weterynarii, a na pewno uzyskacie fachową poradę. Kocięta wymagają innej karmy niż dorosłe koty; potrzebują więcej białka, tłuszczów, witamin i soli mineralnych. Zawsze należy mieć zapas suchej karmy, by uzupełniać nią pokarm z puszek. Karmy dostępne w sklepach zoologicznych są zwykle lepszej jakości niż oferowane w supermarketach. Bardziej szczegółowe omówienie diety znajdziecie w dalszej części książki.

Naczynia na wodę i pokarm

Nie potrzeba nic szczególnego; na wodę całkowicie wystarczy metalowa lub gruba plastikowa miska o średnicy 10 do 15 cm i taka sama na pokarm. Niektórzy właściciele wolą „automatyczne karmniki", które dozują pokarm lub wodę do miski zgodnie z potrzebami kota. Można je kupić w wielu sklepach zoologicznych. Przydają się, gdy wyjeżdżacie na kilka dni i nie możecie znaleźć nikogo, kto przyszedłby nakarmić waszego pupila.

Kocie sprawy: Unikajcie niebezpiecznych zabawek

Nigdy nie dawajcie kotu zabawek, które mają małe plastikowe elementy, guziki, nity czy koraliki; kot może je odgryźć i zadławić się, a w przypadku ich połknięcia może nastąpić zatkanie przewodu pokarmowego. Unikajcie także zabawek, które mogą być toksyczne lub niebezpieczne, takich jak puste plastikowe słoiki czy butelki po chemikaliach lub lekach, kulki z folii aluminiowej (połknięta folia może spowodować perforację przewodu pokarmowego lub go zablokować), wstążki lub gumki recepturki.

Ustawcie naczynia kota w miejscu łatwym do mycia, gdzie zwierzę nie będzie przez nikogo niepokojone. Koty nie lubią, gdy zakłóca się im spokój w czasie jedzenia; umieszczając naczynia w ruchliwym miejscu, możecie utrudnić waszemu pupilowi zjedzenie posiłku. Wygospodarowanie w kuchni cichego kącika to dobry pomysł, pod warunkiem że nie gotujecie zbyt wyszukanych potraw, które wymagają nieustannej krzątaniny i rozsiewają szczególnie kuszące zapachy.

Toaleta dla kota

Koty to czyste stworzenia, które na ogół zagrzebują swoje odchody. Tę kocią cechę należy wykorzystać. Kuweta dla kota powinna być wykonana z odpowiedniego plastiku, aby łatwo można ją było myć i nie przesiąkała przykrym zapachem. Najlepiej wsypać do niej zbrylające się lub krystalizujące „żwirki". Te pierwsze umożliwiają usunięcie bryłek szufelką; te drugie również, a ponadto bardzo dobrze chłoną mocz.

Jeśli przyniesiecie do domu małe kocię, postarajcie się o kuwetkę o bokach wysokości 5–8 cm, aby stworzonko mogło się do niej łatwo dostać. Dla starszych kotów odpowiedniejsza będzie kuweta o głębokości co najmniej 10 cm, aby zwierzęta nie rozrzucały żwiru po całym pomieszczeniu. Zabudowane kuwety zapewniają kotu więcej prywatności, co jest pożądane, gdy mamy w domu kilka tych czworonogów. Większość zabudowanych kuwet ma zdejmowaną górną część; początkowo usuńcie ją, zanim kot nie przywyknie do korzystania z dolnej części. Jeśli macie więcej niż jednego kota, najlepiej dać im osobne kuwety. Zapobiegnie to konfliktom i ich niepożądanym konsekwencjom.

Co by tu podrapać?

Koty drapią, ostrząc pazurki oraz oznaczając swoje terytorium. Aby sofa nie stała się obiektem zainteresowania waszego kota, sprawcie mu atrakcyjny słupek do drapania, wysokości przynajmniej 90 cm i średnicy 10–15 cm. Powinien być okręcony sznurkiem bądź okryty wykładziną dywanową czy innym materiałem o atrakcyjnej fakturze. Niektórzy kupują lub budują półtora lub dwumetrowe zestawy dla kotów – wielopoziomowe, okryte wykładziną dywanową „wesołe miasteczka", które większość zwierząt uwielbia. Warto się o nie postarać, jeśli możecie przeznaczyć na ten cel jeden pokój. Takie zestawy dostarczają kotom różnorodnych stymulacji, zapobiegając nudzie, a w konsekwencji niszczeniu waszych rzeczy.

Aby przyzwyczaić kota do drapania słupka, dobrze jest umieścić go blisko miejsca, gdzie kot sypia lub drzemie; koty lubią drapać zaraz po przebudzeniu się, podobnie jak ludzie lubią się przeciągać.

Kocie sprawy: Ból ząbkowania

Między 3. a 6. miesiącem życia zaczynają kotu wyrastać stałe zęby. Jest to dla niego nieprzyjemne, czego dowodzi miauczenie bez widocznej przyczyny i nieustanne gryzienie wszystkiego, co może wziąć do pyszczka. Pamiętajcie więc, żeby zwierzę miało zawsze koło siebie kilka zabawek z twardej gumy lub twardego plastiku, nadających się do gryzienia. Lekarz weterynarii może zalecić wam specjalną maść. Posmarowanie nią dziąseł kota uśmierzy ból. Nie stosujcie maści przeznaczonych dla ludzi – mogą być toksyczne dla kociąt.

Czas na sen

Wielu z was nie będzie miało nic przeciwko temu, aby kot spał z wami – wasz kochany czworonóg prawdopodobnie prędzej czy później i tak do tego doprowadzi. Ci, którzy mają na tyle silną wolę, aby oprzeć się sztuczkom mruczącego i ocierającego się kota, chcącego się przytulić, muszą zainwestować w posłanie dla niego. Powinno być ono wystarczająco wygodne i ciepłe, aby zwierzę mogło zwinąć się w kłębek. Postarajcie się o posłanie, którego pokrycie jest łatwe do prania i wystarczająco duże, by kot mógł się na nim wyciągnąć. Nie wydawajcie jednak zbyt dużo pieniędzy. Koty są wybredne. Wolą same wybrać sobie posłanie i zwykle wybierają wasze. Prawdopodobnie znajdziecie je zwinięte w wygodnym fotelu albo w innym, bardziej wymyślnym miejscu, jak koszyk, otwarta walizka lub gdziekolwiek indziej, tylko nie na posłaniu, które kupiliście. Nie chcecie przecież zostać z niewykorzystanym posłaniem dla kota, za które niemało zapłaciliście.

Czas na zabawę

Zabawa z kotem jest nie tylko przyjemna, ale także pożyteczna; w ten sposób tworzy się więź między wami, a wasz mały przyjaciel doskonali koordynację ruchów.

Dajcie kotu różnorodne puchate i nakręcane zabawki, sztuczne myszki, małe gumowe piłeczki oraz piłki zrobione na drutach z kocimiętką w środku. Aby swojemu pupilowi zapewnić rozrywkę, nie musicie wydawać mnóstwa pieniędzy. Możecie dać mu kartonowe pudełka lub torbę z szeleszczącego papieru. Będzie szczęśliwy, bawiąc się w chowanego, i zacznie szaleć, słysząc szelest papieru.

Także na czas waszej nieobecności powinniście zapewnić kotu sporo wrażeń, aby był stale zajęty i nie wyrządził sobie krzywdy, a wam nie przysporzył kłopotów.

W drodze

Plastikowa transportówka zapewni kotu bezpieczeństwo podczas jazdy samochodem. Weźcie ją ze sobą. Większość kotów nie lubi jazdy samochodem z powodu natłoku zdarzeń. Bez transportówki często czują się w samochodzie jak w szklanej kuli: bezbronne, zniewolone i bezsilne. Przewożenie kota w transportówce do lekarza weterynarii lub do znajomych sprawi, że poczuje się bezpieczniej, będzie bardziej odprężony i opanowany.

Wiele sklepów z artykułami dla zwierząt sprzedaje dobrej jakości transportówki, akceptowane przez linie lotnicze. Upewnijcie się, czy transportówka jest wystarczająco duża dla dorosłego kota, ale na tyle mała, by zmieściła się pod siedzeniem w samolocie. Umieśćcie w niej miękką wykładzinę lub kocyk, by zapewnić zwierzęciu ciepło i poczucie bezpieczeństwa. Podczas jazdy samochodem zawsze umieszczajcie transportówkę w bezpiecznym miejscu, najlepiej na podłodze lub tylnym siedzeniu.

Gdy wasz kot przyzwyczai się do jazdy samochodem, możecie ewentualnie trzymać go na kolanach, gdy pojazd prowadzi ktoś inny. Ponieważ jednak pierwsza podróż może być dla zwierzęcia dość stresująca, nie ryzykujcie, że się wam wyrwie i będzie przeszkadzać kierowcy.

Obróżka z identyfikatorem

Nawet jeśli cały czas trzymacie kota w domu, może się zdarzyć, że przez przypadek pozostawicie otwarte drzwi lub okno, umożliwiając kotu wyjście na zewnątrz.

Zadbajcie więc, aby cały czas nosił obróżkę z identyfikatorem, najlepiej elastyczną lub łatwo rozrywającą się. Obydwa rodzaje zapobiegną uduszeniu się kota, jeśli obroża o coś zaczepi.

Zacznijcie przyzwyczajać kota do obroży możliwie jak najwcześniej, aby nie stawiał oporu. Jeśli nie chce nosić obróżki, spróbujcie zakładać mu ją co jakiś czas na minutę, podając mu przy tym ulubiony smakołyk lub zabawkę, aby odwrócić jego uwagę. Powtarzajcie tę czynność codziennie, powoli wydłużając czas noszenia obroży.

ZADBANY KOT

Pielęgnacja sierści jest bardzo ważna, zwłaszcza w przypadku kotów długowłosych. Zapewnia zwierzęciu nie tylko ładny wygląd. Zabiegi pielęgnacyjne (przeprowadzane od młodego wieku) przyzwyczajają kota do regularnego brania go na ręce. Może to być szczególnie przydatne, gdy będziecie musieli sprawdzić, czy nie ma pasożytów lub obrażeń.

Większość sklepów z artykułami dla zwierząt oferuje duży wybór akcesoriów do pielęgnacji. Łatwo więc znaleźć wszystko, co potrzebne.

Szczotka

Regularne szczotkowanie pomaga usunąć z sierści wypadające martwe włosy i ogranicza tworzenie się z nich kul w przewodzie pokarmowym, nie wspominając już o tym, że zmniejsza ilość włosów w domu. Jeśli macie kota krótkowłosego, wybierzcie miękką szczotkę z włosia; będzie skuteczna i przyjemna w kontakcie ze skórą zwierzęcia. W przypadku kotów długowłosych można użyć takiej samej szczotki do włosów, jakiej my używamy.

Grzebień

Koty długowłose należy po szczotkowaniu uczesać grzebieniem. W ten sposób rozczesujemy supły i kołtuny, które mogą podrażnić skórę zwierzęcia.

Z pewnością nie chcecie wycinać z sierści kota niedających się inaczej usunąć kołtunów. Rozczesywanie zaczynajcie grzebieniem o rzadkich zębach, a kontynuujcie gęstym.

Cążki do pazurów

Koty podczas rozładowywania emocji mogą niszczyć meble, dywany, tapety i inne przedmioty, wbijając w nie swoje małe, ostre pazurki. Zacznijcie przycinać je w jak najmłodszym wieku, aby kot dobrze to znosił. W sklepach z artykułami dla zwierząt można kupić specjalne cążki dla kotów bądź używać obcinacza do paznokci przeznaczonego dla ludzi.

Kot w kąpieli

Kota nie należy kąpać zbyt często; to czyste stworze-nie. Może się jednak zdarzyć, że wasz czworonóg wpaku-je się w coś szczególnie brudnego czy tłustego, musicie więc mieć zawsze pod ręką dobry szampon dla kotów i odżywkę. Nie używajcie kosmetyków przeznaczonych dla ludzi – mogą podrażnić skórę kota. Poszukajcie cze-goś odpowiedniego w renomowanym sklepie z artykuła-mi dla zwierząt.

APTECZKA PIERWSZEJ POMOCY

Wprawdzie z wszelkimi niepokojąco wyglądającymi dole-gliwościami kota powinniście bezzwłocznie udać się do le-karza weterynarii, bądźcie jednak przygotowani na sta-wienie czoła drobnym problemom, jak przeziębienie, nie-wielkie rany, stłuczenia, otarcia czy usuwanie kleszczy. Ponadto jeśli wasz kot dozna kiedykolwiek poważnych obrażeń lub będzie ciężko chory, być może uratujecie mu życie, gdy pomoc weterynaryjna nie będzie możliwa na-tychmiast (więcej informacji na temat udzielania pierw-szej pomocy znajdziecie w rozdziałach 10. i 11.).

Apteczka powinna zawierać:
* termometr;
* małą latarkę;
* pincetkę;
* wodę utlenioną;
* alkohol salicylowy (do nacierania);
* gencjanę;
* rywanol;
* mały koc;
* gazę opatrunkową i bandaż;
* plaster bez opatrunku;

- tamponiki z waty;
- parafinę;
- stetoskop.

Wszystkie te artykuły można dostać w każdej aptece.

POZNAWANIE OTOCZENIA

Przygotowując dom na przybycie nowego lokatora, postarajcie się stworzyć mu przyjemne, ciche i spokojne lokum, w którym od początku będzie czuł się swobodnie. Koty to zwierzęta ceniące spokój. Lubią przewidywalne i bezpieczne warunki. Nie czują się dobrze w gwarnym otoczeniu, w którym panuje nieustanny zamęt.

Pokażcie kotu, gdzie znajdują się najważniejsze miejsca. Pamiętajcie, żeby zawczasu przygotować trochę karmy i wodę (umieśćcie miseczki w spokojnym kąciku). Dobrze też byłoby pokazać kotu, gdzie stoi jego kuweta. Posadźcie go w niej i kilka razy podrapcie żwirek palcem.

Już dziesięciotygodniowe kocię powinno szybko zorientować się, o co chodzi. Pamiętajcie, aby drzwi do pomieszczenia z kuwetą były zawsze otwarte, gdyż kot musi mieć do niej stały dostęp. Jeśli nie będziecie tego przestrzegać, mogą spotkać was przykre niespodzianki!

Dzieci, poznajcie kota!

Jeśli macie dzieci, porozmawiajcie z nimi o tym, jak powinny zachowywać się wobec nowego zwierzęcia, które wkrótce pojawi się w waszym domu. Wyjaśnijcie, że kot to żywa istota, która będzie nowym członkiem rodziny, a nie zabawką. Nie wolno go ciągle nosić, drażnić, krzyczeć na niego, szczypać ani szturchać. Nauczcie dzieci obchodzić się z kotem delikatnie i spokojnie. Wasze pociechy mogą nawet dać mu smakołyk lub zabawkę, na przykład pluszową myszkę. Jeśli kot zechce zbadać otoczenie, pozwólcie mu obejrzeć dom, obserwując zwierzę z dziećmi z pewnej odległości.

Ważne, aby relacje między dziećmi i kotem były od początku dobre; jeśli kot będzie pierwszego dnia przerażony i zostanie źle potraktowany, nie zapomni tego i być może nigdy nie polubi dzieci. Kocięta są bardziej chętne do zabawy i otwarte w kontaktach z dziećmi niż koty dorosłe, pamiętajcie jednak, że są drobne, delikatne i łatwo je skrzywdzić lub zestresować.

Spotkanie z innymi zwierzętami

Zwierzęta na ogół bronią swego terytorium przed obcymi, dobrze więc byłoby na pewien czas odizolować starych lokatorów od nowego przybysza.

Pozwólcie kotu ochłonąć w samotności, niech przez dzień czy dwa przebywa w osobnym pokoju. Później reszta zwierząt będzie mogła poruszać się po całym domu, jak zawsze. Będą w tym czasie oswajać się z zapachem nowego mieszkańca, ale nie będą mogły się z nim spotkać.

Gdy już wszystkie przywykną do jego zapachu (i odwrotnie), pomyślcie o krótkim, 10–15-minutowym poznaniu zwierząt ze sobą. W tym czasie kot musi być bezpiecznie zamknięty w transportówce. Postępujcie tak przez następne kilka dni, stawiając nawet transportówkę w pomieszczeniu, w którym pozostałe zwierzęta dostają pokarm. Gdy przekonacie się, że są spokojne i przywykły do obecności „obcego", wyjmijcie go z transportówki i pozwólcie przez kilka minut przebywać razem. Nadzorujcie zwierzęta przez cały czas i bądźcie ostrożni; gdyby doszło

do walki, wy również możecie zostać podrapani lub pogryzieni (w wyniku podrapania lub ugryzienia przez kota
łatwo dochodzi do zakażenia).

Musicie zdawać sobie sprawę, że dojdzie do konfliktu
o terytorium. Zwierzęta będą musiały to jakoś ustalić między sobą. Zanim zostaną dobrymi przyjaciółmi, może mi-
nąć trochę czasu, więc bądźcie cierpliwi. Po kilku tygodniach powinny już tolerować się nawzajem.

 Kocie sprawy: Jak pies z kotem

Młody kot ma większe szanse niż osobnik dorosły na dobry
kontakt z psem przyjaźnie nastawionym do kotów, ale nawet
taki układ może być ryzykowny. Jeżeli pies jest szczenięciem
lub był od małego wychowywany z kotami, to jest duża szansa,
że zaprzyjaźni się z waszym kotem. Nigdy nie decydujcie się na
nowego kota, jeśli zwierzęta, które już macie, są agresywne
w stosunku do innych. Nowy przybysz może zostać poważnie
poturbowany.

CO ROBIĆ, GDY KOT ROZPACZA

Jest prawie pewne, że wasz nowy kot będzie się początkowo czuł zagubiony i osamotniony. Szczególnie małe kocię
będzie tęskniło za matką oraz rodzeństwem i może z tego
powodu rozpaczliwie miauczeć. Na pewno ściśnie się
wam serce, ale nie martwcie się; możecie pocieszyć go na
kilka sposobów.

• Postarajcie się, aby w domu miał sporo nowych wrażeń. Dajcie zwierzęciu zabawki i inne przedmioty,
  którymi będzie mógł się bawić i je poznawać. Często
  zwykła papierowa torba czy duże kartonowe pudeł-
  ko zaprzątnie uwagę kota na wiele godzin.

- Zapewnijcie kotu tyle uwagi i czułości, ile będzie wymagał, by wynagrodzić mu pustkę po matce, rodzeństwie lub towarzyszach. Przytulajcie go, głaszczcie i przemawiajcie do niego łagodnym głosem.

- Zastanówcie się, czy nie pozwolić kotu na spanie z wami, albo przynajmniej w pobliżu waszego łóżka na osobnym posłaniu.

- Wychodząc z domu, zostawiajcie włączone radio; nastawcie stację, w której dużo się mówi, i przyciszcie fonię. Dzięki temu kocię nie będzie czuło się osamotnione.

- Przygarnijcie więcej niż jednego kota (najlepiej z tego samego miotu). Dwoje kociąt zajmie się sobą w czasie waszej nieobecności. W ten prosty sposób sprawimy, że zwierzęta będą szczęśliwe i zapobiegniemy niepożądanym zachowaniom spowodowanym nudą i samotnością.

Kocia psychika

$\mathcal{A}$ by zrozumieć motywy postępowania kotów i ich pragnienia, trzeba poznać psychikę tych zwierząt. Jeśli chcemy wychować zdrowego, pewnego siebie i przywiązanego do nas kota, powinniśmy zrozumieć, jak myśli, w jaki sposób się komunikuje i co go motywuje.

PODSTAWOWE POTRZEBY

Poniżej wymieniono wszystko, co jest kotu niezbędne, aby był szczęśliwy i stabilny emocjonalnie.

Pokarm

Zdobywanie jedzenia jest podstawową czynnością wszystkich stworzeń. Poza koniecznością rozmnażania się prawdopodobnie nie ma silniejszej motywacji w świecie zwierząt. Dzikie koty większość energii zużywają w czasie polowania. Zdobywanie pokarmu to podstawa; wszystko, co temu służy, składa się na taką, a nie inną psychikę kota.

Chociaż wasz kot domowy nie będzie musiał sam zdobywać pożywienia, to jego instynkt polowania i zabijania jest bardzo silny, podobnie jak apetyt. Ci z was, którzy pozwalają kotom wychodzić na dwór, bez wątpienia otrzymują od czasu do czasu „prezenty" w postaci nieszczęsnych małych myszek lub ptaków porzuconych przy wejściu do domu.

W ten sposób kot demonstruje swoje zdolności łowieckie. Ale nawet jeśli nie wychodzi z domu, instynkt myśliwski wpływa na wiele aspektów jego zachowania. Ośmiotygodniowe kocięta uwielbiają podkradać się i skakać na zabawki – w czym wyraża się ich instynktowna potrzeba polowania.

Kocie sprawy: Wara od mojego jedzenia

Walki o pokarm, choć są bardziej typowe dla psów, mogą stanowić problem również wśród kotów, szczególnie gdy w ustabilizowanej, domowej kociej społeczności pojawi się nagle nowy osobnik. Jeśli macie kilka kotów, każdy powinien mieć swoją miskę, aby uniknąć tego typu konfliktów.

Ponieważ pokarm zwykle silnie motywuje koty, można to wykorzystać do zmodyfikowania kociego zachowania (zagadnienie omówiono bardziej szczegółowo w dalszych częściach książki).

Terytorium

Wasz kot odznacza się takim samym terytorializmem, jak ryś czy tygrys. W przypadku osobników, które nie wychodzą z domu, nie ma to większego znaczenia ani dla samego zwierzęcia, ani dla jego właściciela. Poszanowanie potrzeby terytorializmu pozwala jednak stworzyć kotu odpowiednie warunki egzystencji. Osoba, która bez zastanowienia sprowadza do dwupokojowego mieszkania z sześcioletnim kotem perskim dużego psa, trzy młode koty i tchórzofretkę, nie wie nic o psychice kotów, ale szybko uzupełni wiedzę w tym zakresie!

Kot domowy będzie wyznaczał granice swojego teryto-rium, zostawiając znaki zapachowe, drapiąc i przegania-jąc inne koty (takie zachowanie kota w domu może stano-wić problem; sposoby zapobiegania tego typu sytuacjom przedstawiono w dalszej części książki). Można minimali-zować przejawy tego instynktu, wychowując kotka w to-warzystwie innych zwierząt i zapewniając im pod dostat-kiem pokarmu. Mimo wszystko koty będą przejawiać ten-dencje terytorialne wobec obcych zwierząt i ludzi.

Bezpieczne otoczenie

Koty nie lubią niespodzianek i źle znoszą nowe, nie-znane i nieprzewidziane sytuacje. Wywołują one u nich stres. Jeśli, na przykład, często bierzecie pod swój dach na pewien czas obce zwierzęta, może to bardzo denerwować waszego pupila i prowokować do walk lub takich zacho-wań, jak drapanie mebli, zostawianie znaków zapacho-wych i załatwianie się poza kuwetą. Wyprowadzać go mogą z równowagi i niepokoić również odwiedzający was goście. Należy pamiętać, że koty lubią ustabilizowa-ne życie domowe i nie są tak towarzyskie jak psy. Staraj-cie się chronić kota przed głośną muzyką, wrzaskliwymi imprezami i ciągnącymi za ogon dziećmi, a będzie bardzo szczęśliwy.

Popęd płciowy

Popęd płciowy jest u kotów, podobnie jak u innych zwierząt, bardzo silny. Zarówno samczyki, jak i samiczki zaczynają okazywać zainteresowanie płcią przeciwną już w wieku 7–10 miesięcy, chyba że zostaną wcześniej wysterylizowane. Niewykastrowany kocur, który może swobodnie wychodzić z domu, będzie wdawał się w bójki i włóczył całymi dniami w poszukiwaniu kotki mającej ruję. Trzymany w domu będzie głośno miauczał i znakował zapachem oraz drapał sprzęty w całym domu. Niewysterylizowana kotka również będzie miauczeć i niewykluczone, że znakować teren moczem oraz odchodami. Nieustannie będzie ocierać się o was i o podłogę, chodzić za wami, licząc, że wypuścicie ją na zewnątrz. Nie wolno tego zrobić, ponieważ niewysterylizowana kotka przebywająca w tym okresie poza domem na pewno zajdzie w ciążę. Rozwiązanie tego problemu jest proste – zawsze sterylizujcie lub kastrujcie wasze koty.

Wczesny rozwój

Kontakt z matką i rodzeństwem jest dla kociąt niezwykle ważny, ponieważ uczą się relacji z innymi oraz kociego savoir vivre'u. Wszystkie te doświadczenia pozwolą w przyszłości minimalizować nietowarzyskie i agresywne zachowania o podłożu lękowym.

W tym wczesnym okresie życia kocięta otoczone są opieką i miłością ze strony matki oraz rodzeństwa. Miłość tę przenoszą zwykle na ludzi, z którymi mieszkają. Jest to podstawa, na której bazują w późniejszych kontaktach z człowiekiem. Nie widzą w nas rywali czy władców, a raczej członków rodziny.

Koty domowe pozostają w kontaktach z nami na etapie dzieciństwa. Różni je to od zwierząt dziko żyjących, których przedstawiciele szybko dorastają i zwykle nie kontaktują się z rodzicami bądź rodzeństwem. Koty, które odłączono od matki i rodzeństwa przed ukończeniem 8. tygodnia życia, mogą w późniejszym wieku przejawiać

zachowania agresywne wobec innych kotów i być płochliwe w stosunku do ludzi. Większość kotów czujących
ogromny lęk przed nieznanymi osobami została prawdopodobnie zbyt wcześnie odizolowana od matki i rodzeństwa, zwykle około 4.–5. tygodnia życia. Właściciele kotów
powinni zdawać sobie sprawę, jak ważny jest to okres
w rozwoju psychicznym – ma on trwały wpływ na psychikę i stabilność emocjonalną dorosłych zwierząt.

Zabawa

Zabawa jest prawdopodobnie najważniejszym rodzajem aktywności kociąt. Odgrywa bardzo ważną rolę w ich
rozwoju fizycznym i psychicznym. Dzięki zabawie świat
kociąt pełen jest przyjemnych bodźców. Kocięta już na
tym etapie rozwoju ustalają hierarchię dominacji, choć nie
jest ona tak wyraźna, jak w przypadku psów. Uczą się
również pielęgnować sobie nawzajem futerka. To bardzo
ważne z punktu widzenia właścicieli, gdyż przyzwyczaja
zwierzęta do dotyku, brania na ręce i czesania.

Dzięki zabawie kocięta mają zajęcie i trzymają się razem, gdy ich matka poluje, a także uczą się właściwych
zachowań społecznych, na przykład tego, co jest akceptowane, a co nie i jakie postawy przybierać wobec innych
kotów.

Poprzez zabawę kocięta odkrywają otaczający je świat,
penetrując najbliższe otoczenie. Rozwijają koordynację
i synchronizację ruchów, a także poczucie pewności siebie.
Doskonalą zdolności łowieckie, wspinając się, goniąc, skra-
dając i rzucając na rodzeństwo. Zabawa pobudza również
rozwój intelektualny. Interesujące, pełne przyjemnych
bodźców otoczenie sprzyja rozwojowi psychicznemu.

Około 12.–14. tygodnia życia kocięta mniej chętnie się

bawią i są gotowe do opuszczenia rodziny oraz do samo-
dzielnego życia. Kot jednak nie zapomina zupełnie o zabawie i chętnie będzie się z wami bawił.

Bodźce

Zwierzęta potrzebują intelektualnych i fizycznych
bodźców, aby były zdrowe emocjonalnie. Izolowane stają
się nietowarzyskie, bojaźliwe i niezrównoważone. Ludzie
przebywający w areszcie, w odosobnieniu, są tego najlepszym przykładem. Podobnie jest w przypadku kotów –
ich zdrowie psychiczne zależy od interesującego i stymu-
lującego otoczenia. Odpowiedzialni właściciele powinni
o tym pamiętać i zapewnić kotu towarzystwo oraz wiele
ciekawych zabaw w domu, aby uchronić go przed nudą,
w wyniku której może stać się nieznośny.

Sen

Koty śpią dużo – 14 do 18 godzin dziennie. Jednak zamiast jednego długiego snu zwykle zapadają w liczne
krótkie drzemki. Nie bardzo wiadomo, dlaczego zwierzęta te potrzebują tyle snu, ale być może ma to związek z ich
dużą aktywnością między drzemkami. Przodują w tym
zwłaszcza kocięta, które rozrabiają przez kilka godzin,
a potem przesypiają 2/3 dnia. Rozwój poszczególnych części ich mózgu również przebiega w czasie snu.

Bez względu na przyczynę, zrozumienie kociej psychi-
ki oznacza poszanowanie tej potrzeby snu.

Pamiętajcie więc, aby zapewnić kotu ciepłe i wygodne
miejsce do spania. Nie spodziewajcie się, że odwdzięczy się
wam za niezakłócanie jego snu – jeśli obudzi się o trzeciej
rano, a wy wciąż będziecie spać, na pewno nie powstrzyma
go to przed miauczeniem i zachęcaniem łapą do zabawy.

KOCI SPRYT

Jak mądry jest kot domowy? Trudno na to pytanie odpowiedzieć, ponieważ inteligencję niełatwo zdefiniować. Jeśli za wskaźnik wziąć zdolność uczenia się, to z pewnością psy wypadną lepiej. Potrafią one nauczyć się prawie wszystkich form zachowania, jeśli treser jest wystarczająco profesjonalny i nawiąże silną więź ze zwierzęciem. Zdolność uczenia się nie jest jednak jedynym wskaźnikiem inteligencji.

Kocie sprawy: Podstawy nauki

Koty nie są zwierzętami stadnymi i w przeciwieństwie do psów nie uznają przywódcy. Dlatego nie zawsze chętnie się uczą. Mogą jednak opanować różne umiejętności, o których dowiecie się w dalszej części książki. Są w stanie uczyć się przez całe życie, ale jeśli chcecie wpoić im dobre zwyczaje, a oduczyć złych, zacznijcie z nimi pracować, gdy są młode.

Zdolność rozwiązywania problemów jest prawdopodobnie lepszym wskaźnikiem inteligencji, a koty świetnie się w tej dziedzinie sprawdzają. Mają lepszą orientację przestrzenną niż psy. Jest to skutek doskonalszego przystosowania do życia w trójwymiarowym środowisku (psy nie są w stanie wskoczyć na lodówkę, tak jak koty). Badania wykazały, że koty całkiem dobrze radzą sobie w labiryncie. Stwierdzono także, że mają lepszą pamięć. Jeśli ktoś na przykład uderzy kota (co musi budzić sprzeciw), najprawdopodobniej zapamięta on do końca życia wyrządzoną mu krzywdę i nigdy już nie będzie ufny wobec tej osoby.

Zdolności przystosowania i radzenia sobie w nowych warunkach są kolejnym wskaźnikiem inteligencji. Koty domowe w tym celują. Żyją prawie we wszystkich krajach świata, radząc sobie nie tylko ze skrajnymi warunkami klimatycznymi, ale umieją też szybko przestawiać się z domowego na dziki tryb życia. Większość kotów bez problemów potrafi przetrwać bez opieki człowieka, wykorzystując swoje instynkty łowieckie, które podczas tych wszystkich lat udomowienia tak naprawdę nigdy nie zanikły.

JAK KOTY SIĘ UCZĄ

Aby lepiej poznać psychikę kotów, przede wszystkim należy zrozumieć, w jaki sposób poznają otaczający je świat.

Obserwacja i naśladownictwo

Koty nie zachowują się wyłącznie instynktownie – zachowania wyuczone poszerzają ich zdolności reagowania na bodźce, zwiększając tym samym szansę na przetrwanie. Zwierzęta te świetnie uczą się określonych form zachowania, obserwując inne koty, zwłaszcza matkę. Na przykład, widząc matkę skradającą się do myszy, kocię lub młody kot będzie naśladował jej zachowanie i w końcu nauczy się polować w taki sam sposób. Uczenie się przez naśladownictwo jest domeną kociąt i młodych kotów. Starsze koty również mają tę zdolność, ale uczenie trwa trochę dłużej.

Metoda prób i błędów

Wszystkie stworzenia, włącznie z człowiekiem i kotami, uczą się także przez przypadek. Na przykład jeśli dziecko płacze, szybko kojarzy, że może w ten sposób zwrócić na siebie uwagę rodziców. Podobnie szybko uczy się kocię – jeżeli nie może dostać się do pozostawionej na kuchen-

nym blacie kanapki, skacząc bezpośrednio z podłogi, zaczyna używać w tym celu krzesła, zapoczątkowując cały
ciąg zdarzeń.

Na pewno nie zapomni tego do następnej nadarzającej
się okazji.

Warunkowanie

Dwa rodzaje warunkowania mogą wpływać na zachowanie kotów. W przypadku *warunkowania klasycznego* kot
zaczyna reagować na obojętny wcześniej bodziec, który
towarzyszy bodźcowi zwykle wywołującemu daną reakcję. Doskonałym przykładem są psy Pawłowa; były one
warunkowane, by wydzielać ślinę na dźwięk dzwonka,
który poprzedzał otrzymywanie pokarmu. Wydzielanie
śliny towarzyszy jedzeniu, wrodzonej reakcji na obecność
pokarmu. Podobnie, o czym może przekonać się wielu
właścicieli kotów, zwierzę to chętnie przybiega do kuchni,
zawsze gdy słyszy odgłos otwieracza do puszek. Jest to
efekt warunkowania klasycznego.

W przypadku *warunkowania instrumentalnego* kot uczy
się wykonywania jakiejś czynności, jeśli otrzyma potem
nagrodę (zwykle pokarm), albo przeciwnie – unika zachowania, które skutkuje przykrymi konsekwencjami.
Jest to podstawowa technika stosowana, by nauczyć kota
różnych sztuczek lub oduczyć niepożądanego zachowania, jak obgryzanie roślin doniczkowych czy drapanie
mebli.

KOMUNIKOWANIE SIĘ

Koty wyrażają swoje odczucia, intencje, chęci i postawy za
pośrednictwem złożonych kombinacji odgłosów, pozycji
ciała i znakowania terenu. Wydawane dźwięki, postawa

oraz miejsca, których unikają, to wszystko odgrywa istotną rolę w komunikowaniu światu swoich odczuć i pragnień.

Mowa ciała

Mowa ciała ma ogromne znaczenie w komunikowaniu się kotów. Koci ogon zdradza, co dzieje się w głowie zwierzęcia. Ogon wyprostowany do góry, prawie statyczny, oznacza zwykle, że kot jest czujny i zadowolony. Zwierzę jest nastawione przyjaźnie, ale też zainteresowane otoczeniem. Jeśli kot leży, a ogon jest nieruchomy, świadczy to, że jego właściciel jest w beztroskim nastroju. Natomiast opuszczony nieco ogon, którym kot porusza tam i z powrotem, oznacza strach i niezadowolenie. Nic dobitniej nie wyraża „lepiej ze mną nie zaczynaj" niż ogon skierowany do dołu.

Również uszy kota zdradzają jego nastrój. Gdy są uniesione i skierowane do przodu, kot jest przyjazny i zaciekawiony. Jeśli są odchylone do tyłu, to zwykle oznacza niezadowolenie. Taki kot może być gotowy do konfrontacji. Uniesione uszy, skierowane wewnętrzną częścią do tyłu, informują „mam ochotę ci przyłożyć". Gdy uszy kota przylegają do głowy, oznacza to, że zwierzę jest przestraszone i gotowe do walki w swojej obronie lub ucieczki.

Kocie sprawy: Machanie ogonem

Koty i psy różnią się zasadniczo, jeśli chodzi o poruszanie ogonem. Machanie zwykle oznacza u psa „cześć, fajnie, że jesteś ze mną", natomiast u kota znaczy: „przerażasz mnie, lepiej szybko zmykaj". Rozzłoszczony lub przestraszony kot może także najeżyć sierść na ogonie.

Kot, który ociera się o was lub ugniata łapkami, okazuje wam czułość i jest nieco zaborczy. Ugniatanie łapkami to cecha pozostała z dzieciństwa, gdy młode ugniatają matczyne sutki, by pobudzać je do wydzielania mleka. Jeśli wasz kot tak się zachowuje, znaczy to, że traktuje was jak matkę.

Delikatne dotykanie łapką także zdradza pozytywne uczucia, ale pacnięcie tą samą łapą oznacza „czas, żebyś się odsunął".

Kocie oczy także wyrażają intencje ich właściciela. Jeśli kot wpatruje się uważnie w kogoś lub w jakiś przedmiot, zwykle oznacza to, że jest bardzo zaciekawiony lub nieco zaniepokojony. Jeśli, patrząc na was, zacznie mrugać lub odwróci głowę, sygnalizuje w ten sposób uległość. Spokojny i zrelaksowany kot ma zwykle powieki nieco przymknięte, natomiast przerażony ma szeroko otwarte oczy o rozszerzonych źrenicach.

Postawa całego kociego ciała może świadczyć o jego nastroju lub emocjach. Jeśli tułów kota jest wygięty w łuk, a sierść nastroszona, to zwierzę jest przerażone i gotowe do walki. Koty, które ocierają się o was, są zwykle szczęśliwe i zadowolone. Jeśli wasz kot przewraca się na plecy, to ma ochotę na zabawę i chce, aby pogładzić go po brzuchu. Uważajcie jednak, czy nie macha łapkami – może to oznaczać „trzymaj się z daleka".

Pyszczek kotka także zdradza emocje. Ciągłe oblizywanie świadczy o zdenerwowaniu, podczas gdy dyszenie z otwartym pyszczkiem może oznaczać zmęczenie, chorobę lub niepokój. Jeśli kocur ma poważną minę i węszy intensywnie, wciągając powietrze, to prawdopodobnie zwietrzył kotkę będącą w rui i jest pobudzony płciowo.

Wydawanie dźwięków

Koty mogą przekazywać informacje również za pomocą wydawanych dźwięków. Niektóre rasy kotów (na przykład koty syjamskie) uważane są za „głośniejsze" niż inne. Wszystkie jednak mogą od czasu do czasu wydawać dźwięki z kociego repertuaru. Sławne „miau" świadczy zwykle, że kot się o coś dopomina, jest zmieszany lub trochę obrażony i chce, abyśmy odpowiednio zareagowali. Gdy „ćwierka" lub cicho mruczy, oznacza to na ogół „witaj w domu, cieszę się, że cię widzę". Prychanie i syczenie to oznaka niezadowolenia i wściekłości; nie zbliżajcie się, jeśli coś takiego usłyszycie! „Płacz" świadczy, że zwierzę jest zaniepokojone lub przestraszone i potrzebuje pocieszenia oraz zapewnienia mu spokoju.

Natomiast kotka płaczliwym zawodzeniem oznajmia o bólu doświadczanym przez nią w czasie rui. Tego dźwięku nikt nie lubi i niełatwo go zapomnieć. Dobrze znane „mrr", to odgłos innego rodzaju. Zwykle oznacza zadowolenie, ale niekiedy także niepokój.

Znakowanie terenu

Znakowanie jest sposobem komunikowania się kotów, pozwalającym uniknąć walki. Znacznie częściej objęte w posiadanie terytorium znakują koty niż kotki, choć zdarza się to także tym ostatnim. Mocz kocurów zawiera tłustą substancję, dzięki której jest lepki i pozostaje na powierzchni przedmiotów nawet po deszczu. Gdy inny kocur będzie przechodził w pobliżu, łatwo się zorientuje, że wkroczył na terytorium obcego samca. W tym momencie może zawrócić lub próbować oznakować to miejsce jako swoje. Takie postępowanie sprowokuje oczywiście pierwszego samca i może doprowadzić do walki.

Koty znakują swój rewir również odchodami. Żyjące dziko, dominujące koty, które muszą konkurować o terytorium, często nie zagrzebują odchodów; zakopują je jedynie mniejsze koty i te o niższym statusie socjalnym, aby nie prowokować dominantów. Zagrzebywanie odchodów utrudnia też drapieżnikom wytropienie kota i upolowanie go! Wasz kot domowy zakopuje odchody wcale nie z pobudek higienicznych; w ten sposób oznajmia, że uznaje cię za dominującego osobnika w domu. I odwrotnie – jeśli wasz kot nie chce używać kuwety, to być może uznał siebie za osobnika dominującego. Przyczyn takiego przykrego zachowania może być zresztą więcej i zostaną one omówione w dalszej części książki.

Kocie sprawy: Te nieprzewidywalne koty
Choć psychikę kotów można opisywać bez końca i wiele już na jej temat wiadomo, to jednak nie zawsze da się bezbłędnie przewidzieć zachowanie tych zwierząt.

Każdy kot jest inny – niektóre są nieśmiałe, podczas gdy inne pewne siebie i bezczelne. Będąc opiekunem i zaufanym towarzyszem kota, dobrze poznacie jego charakter, co pomoże wam zrozumieć, jak się czuje i czego chce.

Drapanie jest jednym ze sposobów znakowania terytorium przez koty. Umożliwia pozostawienie wydzieliny gruczołów znajdujących się między palcami. Ponadto ślady drapania pozostawione na drzewach, płotach i (niestety) meblach to widoczne oznaczenia granic terytoriów. Zarówno koty dzikie, jak i domowe, zwykle wybierają kilka miejsc do drapania, a następnie często ich używają; to jeden z powodów, dla których oduczenie kota drapania jest takie trudne.

Koty mogą pozostawiać znaki również w inny sposób. Mają gruczoły zapachowe na brodzie, wokół oczu, poniżej uszu, po bokach pyszczka i wokół odbytu, a także między palcami i u nasady ogona. Wykorzystują je, aby dokładniej oznaczyć terytorium, poinformować inne koty o swojej aktywności płciowej i intencjach oraz odreagować stres.

Podczas przyjacielskiego pozdrawiania się kotów również może dochodzić do wymiany substancji zapachowych, zazwyczaj przez wzajemne ocieranie się pyszczkami i głowami, na których te gruczoły się znajdują. Takie zachowanie oraz wzajemne obwąchiwanie okolic odbytu jest zwykle oznaką akceptacji i szacunku (choć może nam się to wydawać dziwne). Kiedy więc kot pociera się o was głową na powitanie, to nie tylko dlatego, że pragnie z wami kontaktu. To gest akceptacji, ale także sposób powiedzenia „jesteś mój".

Żywienie i pielęgnacja kota

Jak często kocięta muszą jeść i jakie ilości pokarmu powinny dostawać? Jak obcinać pazury kota? Te i wiele innych pytań nasuwa się po wzięciu tego zwierzęcia do domu. W tym rozdziale zgłębicie tajniki wiedzy na temat opieki i pielęgnacji kota.

KARMA DLA KOTA

W sprzedaży dostępne są różne rodzaje karmy, musicie jedynie zdecydować, którą wybrać.

Pokarm w puszkach

Pokarm w puszkach ma dużą zawartość składników odżywczych i może być długo przechowywany. Jest droższy od suchej karmy, ale, co ważne, zawiera około 70% wody. Zanim zdecydujecie się na kupno takiego pokarmu w supermarketach czy sklepach z artykułami dla zwierząt, poradźcie się lekarza weterynarii. Przygotujcie się, że będziecie musieli regularnie czyścić zęby kota, ponieważ pokarm z puszki jest miękki i nie usuwa kamienia nazębnego.

Sucha karma

Sucha karma jest ekonomiczniejsza niż pokarm z puszki. Zachowuje także dłużej świeżość po wyłożeniu do miski, co jest istotne, gdy wychodzicie z domu na cały dzień.

Wybierzcie karmę wysokiej jakości, wyprodukowaną przez dobrą firmę. Tanie karmy, sprzedawane w supermarketach, mogą zawierać więcej konserwantów, a mało składników odżywczych, jak kwasy tłuszczowe czy tauryna. Jak zwykle zasięgnijcie rady lekarza weterynarii.

Pokarm półpłynny

Pokarm półpłynny stanowi często substytut pokarmu z puszki. Łatwiej go przechowywać i bardziej smakuje większości kotów. Jest jednak dość drogi i często zawiera konserwanty, sztuczne barwniki i cukier. Ponadto, podobnie jak pokarm z puszki, nie czyści zębów z osadzającego się na nich kamienia.

Mieszanki

Wielu właścicieli podaje kotu suchą karmę, uzupełniając ją codziennie pokarmem z puszki, aby zwiększyć zawartość białka i kwasów tłuszczowych. Taki sposób karmienia kota jest nie tylko tańszy, ale także zapewnia zwierzęciu w okresie wzrostu odpowiednią ilość białka. Zapobiega również osadzaniu się kamienia nazębnego.

KARMIENIE KOCIĄT

Do 6.–8. miesiąca życia kocięta powinny być karmione przynajmniej dwa razy dziennie. Bardzo młodym (od 10. do 18. tygodnia życia) należy podawać trzy, a nawet cztery posiłki dziennie. Aby zaspokoić wymagania pokarmowe, kocięta powinny dostawać dwa lub nawet trzy razy więcej pokarmu (w przeliczeniu na kilogram masy ciała) niż koty dorosłe. Małe koty potrzebują także więcej białka.

Dlatego tak ważne jest, aby otrzymywały specjalną karmę dla kociąt.

Wybierając karmę dla młodego kota, pamiętajcie, że musi być dostosowana do jego wieku. Karmienie kocięcia karmą dla dorosłych kotów (lub przeznaczoną dla psów) może doprowadzić do zahamowania wzrostu i innych problemów zdrowotnych.

KARMIENIE DOROSŁYCH KOTÓW

Chociaż dieta dorosłych kotów powinna zawierać więcej białka w porównaniu z dietą psów czy człowieka, to jednak mniej niż w przypadku kociąt. U dorosłego kota karmionego karmą dla kociąt mogą rozwinąć się choroby nerek i wątroby. Jeśli kot ma 8–10 miesięcy, należy zmienić dotychczasową karmę na karmę dla kotów dorosłych, oczywiście zaleconą przez lekarza weterynarii. Karmcie dorosłego kota dwa razy dziennie o tych samych porach. W ten sposób nie będzie czuł się przejedzony, co można wykorzystać podczas szkolenia, bowiem chętnie przyjmie każdy smakołyk. Kontrolowane posiłki sprzyjają także zdrowiu zwierzęcia. Należy dopasować ilość pokarmu do masy kota i jego aktywności. Leniwy kot wymaga mniej pokarmu niż aktywny.

 Kocie sprawy: Kontrolowanie masy ciała
Musicie regularnie, raz w miesiącu, ważyć kota, aby sprawdzić, czy przybiera, czy traci na wadze. Zapytajcie lekarza weterynarii, jaką prawidłową masę ciała powinien mieć wasz kot i starajcie się ją utrzymać. Aby zważyć kota, należy wziąć go na ręce i razem z nim zważyć się na wadze łazienkowej, a potem zważyć się samemu. Różnica będzie odpowiadała ciężarowi kota.

Wraz z wiekiem spowalnia się tempo przemiany materii. Stary kot będzie musiał jeść karmę dla „seniorów", mniej kaloryczną, która zapewni mu utrzymanie odpowiedniej masy ciała.

Należy również zwracać uwagę na zaparcia u dorosłych kotów, spowodowane zwykle słabą pracą jelit, wątroby oraz słabym wchłanianiem substancji odżywczych. Lekarz weterynarii może zalecić zwiększenie ilości błonnika w diecie. Kotu można podawać dostępne w sklepach produkty zawierające błonnik.

Dodawanie raz dziennie do pokarmu kota pół łyżeczki do herbaty oliwy powinno skutecznie zapobiegać zaparciom.

REGULARNE POSIŁKI

Pokarm jest jednym z czynników mających wpływ na zachowanie kota. Odczuwanie głodu w określonych porach dnia można wykorzystać do egzekwowania poleceń w czasie szkolenia, bowiem reakcje zwierzęcia łatwo wzmocnić smakołykami.

Większość właścicieli kotów karmi je, nie przestrzegając reżimu dietetycznego. Wskutek tego zwierzę zjada niewielkie ilości pokarmu przez cały dzień i traci zainteresowanie jedzeniem. Nigdy nie jest naprawdę głodne i smakołyki nie będą motywować je do wykonywania poleceń.

 Kocie sprawy: Zapotrzebowanie na kalorie
Kot o przeciętnej masie ciała około 5 kg wymaga dostarczenia organizmowi 300 kalorii dziennie, podczas gdy duży, ważący 8 kg kot maine coon tylko 400 kalorii. Potrzeby energetyczne zależą od wieku zwierzęcia, rasy i trybu życia. Aby ustalić

dzienną dawkę pokarmu dla waszego kota, powinniście skontaktować się z lekarzem weterynarii.

Uczucie głodu i zaspokajanie go to naturalne mechanizmy sterujące życiem kota. Lepiej jest więc karmić zwierzę o określonych porach niż nieregularnie przez cały dzień. Najlepiej robić to dwa razy dziennie w ustalonym czasie, na przykład rano, zanim wyjdziecie do pracy i wieczorem, po powrocie do domu. Kot będzie oczekiwał pory karmienia i nie będzie grymasił przy jedzeniu, co można wykorzystać do nauczenia go nowych czynności lub wyeliminowania złych nawyków.

Oczywiście, nie musicie karmić kota o określonych porach, jeśli wam to nie odpowiada. Pamiętajcie jednak, że może to mieć negatywny wpływ na stan jego zdrowia i masę ciała.

Koty mogą zbytnio przybrać na wadze, jeśli będą miały ciągły dostęp do pełnej miski. Nie stosując stałych pór karmienia, zwracajcie uwagę na ilość i częstość podawanego zwierzęciu pokarmu, aby zachowało prawidłową masę ciała.

KOTY OTYŁE

Zdrowe koty mają cienką warstwę tłuszczu podskórnego i powinniście wyczuwać ich żebra. Masa ciała przeciętnego kota domowego nie powinna przekraczać 4–5 kg, chyba że mamy do czynienia z przedstawicielami dużych ras. Nie przekarmiajcie kota i nie dopuśćcie, aby miał nadwagę. Otyłość może być przyczyną wielu problemów zdrowotnych, w tym cukrzycy, chorób serca, kłopotów z oddychaniem i uszkodzeń kośćca.

Koty uważa się za otyłe, jeśli ich masa ciała jest o 15–20% wyższa od prawidłowej (określonej przez lekarza weterynarii). Jeśli wasz kot ma nadwagę, musicie go odchudzić, stosując się do poniższych rad:

1. Zmieńcie sposób karmienia. Karmcie go regularnie, o określonych porach.

2. Zmniejszcie dzienną porcję jedzenia o 20% albo zacznijcie podawać karmę dla „seniorów", o obniżonej kaloryczności. W takim przypadku kot nie musi dostawać mniejszych porcji pokarmu, bowiem jest on mniej kaloryczny.

3. Zapewnijcie otyłemu kotu więcej ruchu. Bawcie się z nim, wyprowadzajcie go na smyczy lub pozwólcie mu bawić się z innymi zwierzętami, które zna i jest w stosunku do nich ufny.

4. Nie dawajcie otyłemu kotu zbyt wielu smakołyków między posiłkami. Jeśli dostaje je w czasie szkolenia, to niech stanowią część jego dziennej racji pokarmowej.

5. Ograniczcie, w razie potrzeby, ilość pokarmu wykastrowanemu kotu, ponieważ tempo przemiany materii u takich zwierząt może być wolniejsze.

6. Nie ulegajcie żebrzącemu o pokarm otyłemu kotu.

7. Nie rozczulajcie się nad znalezionym kotem i nie przekarmiajcie go. Bezdomne zwierzę, które zwykle musiało walczyć o pokarm, często staje się otyłe, gdy ma do niego nieograniczony dostęp. Ciężkie warunki życia sprawiły, że takie koty mają silnie rozwinięte uczucie głodu; musicie być twardzi i nie dawać im zbyt dużo jedzenia, ponieważ przejadają się, a potem często wymiotują.

KOTY WYBREDNE

Jeśli wasz kot jest wybredny, nie załamujcie rąk. Oto kilka rad, jak uporać się z tym problemem:

1. Karmcie kota w regularnych odstępach czasu, aby poczuł głód. Po pewnym czasie zacznie wyczekiwać pór karmienia i przestanie być wybredny. Uporanie się z tym problemem ułatwi uczenie kota zachowań pożądanych, bowiem będziecie mogli nagradzać go smakołykami.

2. Podawajcie kotu oprócz suchej karmy także pokarm z puszki, aby zwiększyć liczbę dostarczanych kalorii.

3. Kontrolujcie masę ciała kota przynajmniej raz w miesiącu. Dostosujcie do niej ilość podawanego pokarmu.

4. Postarajcie się nie narażać kota na stres. Zapobiegnie to problemom związanym z uczuciem głodu i sytości.

5. Jeśli macie kilka kotów, nie pozwalajcie, aby jeden przeganiał od jedzenia pozostałe. Karmcie koty w osobnych miejscach, aby mieć pewność, że każdy z nich zjadł odpowiednią ilość pokarmu.

Jeśli wasz kot nagle stanie się wybredny co do jedzenia lub w ogóle przestanie jeść, skontaktujcie się z lekarzem weterynarii. Może to być objaw pewnych problemów zdrowotnych, które należy zdiagnozować, by móc je leczyć. Brak apetytu bywa skutkiem nadczynności lub niedoczynności tarczycy, alergii, cukrzycy lub niedrożności przewodu pokarmowego.

PIELĘGNACJA SIERŚCI

W przeciwieństwie do psów, które uwielbiają być czesane lub szczotkowane, koty nie przepadają za żadnymi wykonywanymi przy nich czynnościami pielęgnacyjnymi. Zacznijcie pielęgnować sierść kocięcia, gdy jest bardzo młode, a szybko zaakceptuje codzienne czesanie czy szczotkowanie. Podczas pielęgnacji sierści usuwa się martwe włosy, które mogą zostać przez zwierzę połknięte, gdy czyści swoje futerko, i zbijać się w kule w żołądku. Zwykle są wymiotowane, ale czasami mogą zatkać jelito i wówczas niezbędna jest pomoc weterynaryjna.

Podczas wykonywania zabiegów pielęgnacyjnych należy przemawiać do kota spokojnym głosem, chwalić go, a po zakończeniu czynności nagradzać smakołykami. Gdy zwierzę przyzwyczai się do szczotkowania, będzie traktowało je jak coś oczywistego.

PRZYCINANIE PAZURÓW

Przycinanie kotom pazurów najlepiej rozpocząć, gdy zwierzęta są bardzo młode. Większość kotów nie jest zbyt szczęśliwa, gdy trzyma się ich łapki, więc jeśli wasz dorosły kot nigdy nie miał przycinanych pazurów, lepiej poprosić o wykonanie zabiegu lekarza weterynarii. Przycinanie należy powtarzać co kilka miesięcy.

Poniżej podano, jak przeprowadzać ten zabieg:

1. Każdego dnia, przez miesiąc, głaszcząc i przytulając kocię, przez chwilę delikatnie przytrzymujcie każdą jego łapkę. Łapki należy chwycić między kciuk a palec wskazujący i masować delikatnie, aby zwierzę wystawiło pazurki. Od czasu do czasu dotykajcie dowolnego pazura, po czym nagródźcie kotka smakołykiem lub zabawką.

2. Gdy kot przyzwyczai się do przytrzymywania łapek, zacznijcie dotykać każdego pazurka cążkami do obcinania pazurów. Nie przycinajcie ich jednak jeszcze.

Po prostu przyzwyczajajcie kota do dotyku metalowych cążków. Ćwiczcie to przez dwa tygodnie; chwalcie kota i nagradzajcie.

3. Gdy przyzwyczaicie kota do dotykania jego pazurków, przytnijcie wybrany losowo pazurek lub dwa. Nie przycinajcie jednorazowo więcej niż szesnaście pazurków! Pozwólcie kocięciu przyzwyczaić się do tego zabiegu i oceńcie, ile siły musicie włożyć, aby przyciąć pazurek. Musicie nauczyć się robić to prawidłowo. Pazury przycinajcie na bezpiecznej długości, aby nie sprawić kotu bólu i nie uszkodzić naczyń krwionośnych. Są one widoczne i biegną od nasady pazura do jego środka. Obcinajcie tylko wystające części. Jeśli przytniecie miazgę, spowodujecie krwawienie i kocię może stracić do was zaufanie.

Kocie sprawy: Tamowanie krwi

Zawsze miejcie pod ręką aseptyczną zasypkę, na wypadek gdybyście skaleczyli miazgę podczas przycinania kotu pazurów. Po jej zastosowaniu krwawienie ustanie i nie powinno dojść do infekcji.

4. Gdy przycinanie pazurków nie będzie dla kota ani dla was stanowić problemu, przytnijcie wszystkie u jednej łapy. Ponieważ obcięcie pazurów u obu łap może zbytnio niepokoić kotka, przycinajcie pazury tylko u jednej łapy dziennie. Nie zapominajcie chwalić i nagradzać zwierzę po każdym przycięciu pazurów.

CZYSZCZENIE USZU

Jest bardzo ważne, aby przyzwyczaić kota do oglądania jego uszu i regularnego ich czyszczenia. Koty trzymane w mieszkaniu nie wymagają tego zabiegu tak bardzo, jak koty przebywające poza domem. Mimo to, wszyscy właściciele powinni sprawdzać swoim kotom uszy. Oto, co należy robić:

1. Głaszcząc kota po głowie, od czasu do czasu masujcie ręką jego uszy po zewnętrznej stronie, a następnie delikatnie od wewnątrz. Podczas tej czynności chwalcie i nagradzajcie waszego pupila. Ćwiczcie to przez tydzień, zanim zaczniecie sprawdzać uszy. Upewnijcie się, czy są czyste, zainfekowane lub zatkane woskowiną.

2. Podczas głaskania kota po głowie i masowania uszu delikatnie przyłóżcie na kilka sekund tampon do wewnętrznej strony każdego ucha po kolei. Chwalcie i nagradzajcie kota. Powtarzajcie tę czynność kilka razy.

3. Nasączcie wacik oliwką dla dzieci i wykonajcie następujące czynności. Oczyśćcie wewnętrzną stronę uszu i usuńcie nagromadzoną woskowinę. Musicie działać zdecydowanie i szybko. Następnie osuszcie uszy suchym wacikiem. Pochwalcie kota i dajcie mu smakołyk.

4. Sprawdzajcie uszy kota i dotykajcie ich przynajmniej raz w tygodniu, nawet jeśli są czyste, aby przyzwyczaić zwierzę do tej czynności. Jeśli zabieg jest wykonywany prawidłowo i regularnie, kot nabierze do was zaufania i nie będzie protestować.

 Kocie sprawy: Ostrożnie z wacikiem
Nigdy nie wkładajcie wacika do przewodu słuchowego; czyśćcie jedynie zewnętrzne partie uszu. Jeśli wewnątrz uszu nagromadził się brud, udajcie się z kotem do lekarza weterynarii.

Jeśli pomimo czyszczenia uszy są nadal brudne lub widoczny jest wyciek z uszu – może to świadczyć o stanie zapalnym narządu.

. . . .

PIELĘGNACJA ZĘBÓW I DZIĄSEŁ

Z czasem na zębach kota, zwłaszcza przedtrzonowych i trzonowych, może odkładać się kamień nazębny, co bywa przyczyną chorób dziąseł, a nawet utraty zębów – nie wspominając o nieświeżym oddechu. Gdy na zębach osadzi się kamień, musi go usunąć lekarz weterynarii. Zabieg ten wykonuje się u kota w znieczuleniu ogólnym.

Niezależnie od tego, czy dieta kota składa się w przeważającej części z suchej karmy, należy czyścić zwierzęciu zęby raz w miesiącu, aby nie dopuścić do osadzenia się na nich kamienia. Pamiętajcie, żeby zacząć czyścić zęby kotu możliwie w jak najmłodszym wieku, bowiem dorosłe zwierzę niechętnie poddaje się temu zabiegowi!

1. Delikatnie przetrzyjcie kotu dziąsła i zęby, przesuwając po nich palcem, a potem pochwalcie waszego pupila. Przecierajcie dziąsła i zęby zdecydowanym ruchem, lecz początkowo nie dłużej niż przez pięć – dziesięć sekund. Stopniowo przecierajcie palcem coraz więcej zębów, aż zdołacie przetrzeć wszystkie (może być trudno dotrzeć palcem do wszystkich zębów, ale nie róbcie nic na siłę).

2. Gdy kocię przyzwyczai się do waszego palca, weźcie wacik i przecierajcie nim zęby i dziąsła. Wacik umożliwi dotarcie do trzonowców. Powtarzajcie tę czynność raz dziennie przez kilka dni.

3. Zwilżcie wacik ciepłą osoloną wodą i przetrzyjcie nim zęby i dziąsła kota. Powtarzajcie czynność przez

kilka dni. Upewnijcie się, że zabieg wykonujecie z odpowiednią siłą umożliwiającą usunięcie pokarmu z zębów i dziąseł. Po każdym zabiegu chwalcie kota i nagradzajcie.

4. Jeśli zechcecie, możecie zwilżać wacik wodą z dodatkiem sody oczyszczonej albo używać specjalnej pasty do zębów dla kotów.

Podczas czyszczenia zębów sprawdzajcie, które z nich są uszkodzone albo się ruszają. Kontrolujcie także dziąsła, czy są zdrowe i czy nie krwawią.

Uczenie podstawowych zachowań

J eśli chcecie mieć dobrze wychowanego i posłusznego kota, będziecie musieli przeszkolić go w zakresie podstawowym. W atmosferze wzajemnego zaufania uda się wiele zdziałać i szkolenie zwierzęcia będzie przebiegało sprawnie. Na początku należy ustalić podstawowe zasady, które kot ma respektować. Zwierzę nie jest jasnowidzem i nie wie, czego się od niego oczekuje, trzeba go więc wszystkiego nauczyć. Gdy raz ustalicie zasady, będziecie się z kotem lepiej rozumieli, a wasza przyjaźń się pogłębi.

POKAŻ KOTU KUWETĘ

Jak już wcześniej wspomniano, większość kotów instynktownie zagrzebuje swoje odchody i powinny to czynić po przyniesieniu do domu (chyba że kocię zostało zbyt wcześnie oddzielone od matki, która nie wpoiła mu takiego zachowania).

Jeśli pokażecie kotu, gdzie jest jego kuweta, szybko się zorientuje, do czego służy. Nagradzajcie kota za każdym razem, gdy załatwi się do kuwety. Nie przeszkadzajcie mu, gdy z niej korzysta – koty cenią sobie prywatność.

Stosujcie się do zasad podanych poniżej, a na pewno kot będzie regularnie korzystał z kuwety. A zatem:

1. Wybierzcie miejsce, w którym ustawicie kuwetę i nie zmieniajcie go. Jeśli ją przestawicie, koty mogą poczuć się niepewnie i zacząć zanieczyszczać mieszkanie.

2. Postawcie kuwetę w takim miejscu, aby kot nie był niepokojony przez ludzi lub inne zwierzęta. Jeśli macie psa, ustawcie kuwetę poza jego terytorium lub w innym pomieszczeniu, do którego może wejść tylko kot.

3. Stosujcie jeden rodzaj ściółki, koty przyzwyczajają się bowiem do jej struktury i zapachu. Jeśli nagle zmienicie ją na inną, kot może przestać korzystać z kuwety i zacznie wypróżniać się do doniczki lub między rzeczami przeznaczonymi do prania.

Kocie sprawy: Zmiana ściółki

Jeśli z jakiegoś powodu musicie zmienić ściółkę, róbcie to stopniowo przez okres trzech do czterech tygodni, mieszając starą z nową. Zbyt szybka zmiana ściółki może mieć przykre konsekwencje dla właściciela kota.

4. Utrzymujcie kuwetę w czystości. Brudna kuweta jest najczęstszą przyczyną porzucenia jej przez kota. Usuwajcie kocie odchody codziennie, a nawet częściej, jeśli z kuwety korzystają dwa osobniki. Ściółkę wymieniajcie całkowicie przynajmniej raz w tygodniu, chyba że stosujecie żwirek. Można go bowiem wymieniać rzadziej niż inne rodzaje ściółek. Zawsze stosujcie się do instrukcji na opakowaniu.

PODRÓŻOWANIE

Jeśli podróżujecie samolotem, pociągiem, samochodem lub innym środkiem lokomocji, kot musi przebywać w klatce (transportówce). Zacznijcie przyzwyczajać go do klatki jak najwcześniej. Przytrzymajcie delikatnie kota i pogłaszcz-cie, a następnie umieśćcie w klatce i zamknijcie drzwiczki. Po kilku minutach wyjmijcie kota z klatki, pochwalcie go i dajcie smakołyk. Ćwiczcie to regularnie, wydłużając za każdym razem czas przebywania kota w klatce.

Gdy tylko kot przyzwyczai się do przebywania w trans-portówce przez mniej więcej 15 minut, zabierzcie go na krótką przejażdżkę samochodem. Po powrocie do domu pochwalcie i nagródźcie.

Kot może niechętnie wchodzić do klatki. Jeśli wyczuje, że przygotowujecie się do wyjazdu lub pokażecie mu klat-kę w niewłaściwym momencie, schowa się przed wami.

Zachowajcie spokój, gdy kot będzie obchodził trans-portówkę. Jeśli jesteście zdenerwowani, kotu także udzie-li się wasz nastrój, co tylko pogorszy sytuację. Lepiej złap-cie kota za kark i delikatne wprowadźcie do transportów-ki, przemawiając przy tym do niego cichym głosem.

SOCJALIZACJA

Aby stać się szczęśliwym właścicielem kota, należy zdobyć jego zaufanie i sprawić, by był przyjazny i spokojny. Nie ma nic gorszego niż zwierzę prychające, drapiące i gryzą-ce gości, domowników czy lekarza weterynarii przy każ-dej próbie pogłaskania go lub dotknięcia.

O stopniu socjalizacji zwierzęcia decyduje kilka przy-czyn.

Przynależność gatunkowa: Koty zazwyczaj nie są tak otwarte i przyjaźnie nastawione do ludzi jak psy i niezbyt tolerują obcych, którzy chcą je pogłaskać.

Uwarunkowania genetyczne: Niektóre koty z natury są bardziej nieśmiałe i zachowują dystans. W dużym stopniu jest to uwarunkowane genetycznie. Można jednak pomóc kotu przezwyciężyć tego typu zachowanie, szkoląc go, chociaż nigdy nie uda nam się całkiem zmienić charakteru zwierzęcia.

Rasa: Koty niektórych ras są bardziej przyjazne niż innych. Na przykład koty perskie są większymi „samotnikami" niż koty syjamskie.

Czas spędzony z matką i rodzeństwem z tego samego miotu: Jak już wspomniano, koty, które oddzielono od matki i rodzeństwa, zanim ukończyły 7. lub 8. tydzień życia, na ogół są nieśmiałe i nieprzyjazne. Te, które przebywają z kocią rodziną odpowiednio długo, będą bardziej przyjazne i lepiej będą sobie radzić. Jednak dzięki wytrwałości, cierpliwości, okazywaniu miłości i szkoleniu można pomóc kotu przezwyciężyć nieśmiałość.

Doświadczenia z przeszłości: Koty, które doznały krzywd lub były zaniedbywane w przeszłości, są zwykle mniej przyjazne niż osobniki dobrze traktowane od pierwszych chwil swego życia.

Dzięki właściwej socjalizacji koty mogą wyrosnąć na przyjazne i chętne do współpracy zwierzęta, nawet w obecności nowych osób. Nie należy zaniedbywać tego procesu. Gdy tylko kocię trafi do waszego domu, powinniście je głaskać, nosić na rękach i pielęgnować. Pozytywny wpływ mają także zabawy. Kocięta je uwielbiają. Podczas nich nabierają zaufania do towarzyszy zabaw – czyli do was.

Kocie sprawy: Pogoń za „ogonem"

Jeśli wasze kocię jest chętne do zabawy, a wy musicie wykonać pewne prace domowe, przyczepcie do spodni długi kawałek sznurka, a zobaczycie, jak ochoczo będzie biegało za sztucznym „ogonem". Być może uznacie to za głupi pomysł, ale taki „ogon" się sprawdza. Zabawa pomoże wam nawiązać więzi z kocięciem i sprawi, że wasz pupil lepiej będzie sobie radzić.

. . . .

Zaproście przyjaciół, ale nie wszystkich na raz, aby pobawili się z kotem i głaskali go. Postarajcie się zapewnić zwierzęciu kontakt z różnymi osobami dorosłymi i dziećmi. Te ostatnie nie powinny zachowywać się zbyt głośno i nerwowo – kot mógłby się przestraszyć. Im więcej osób pozna wasz czworonóg, tym lepiej.

Lepiej dwa niż jeden

Musicie bardzo uważać, gdy wprowadzacie nowego kota do domu, w którym już mieszkają inne. Pamiętajcie, że najlepsze relacje tworzą się między osobnikami razem dorastającymi, dlatego najlepiej przynieść do domu rodzeństwo z jednego miotu albo koty zbliżone wiekiem. W czasie zabawy wytworzą się między nimi silne więzi i zwierzęta będą się doskonale rozumieć.

Wprowadzając kota do domu, w którym mieszkają już inne stare koty, pamiętajcie, że jest w nich silnie rowinięty terytorializm. Kot rezydent uznaje mieszkanie za swoje terytorium i nie będzie chciał dzielić go z młodym parweniuszem! Jeśli w domu pojawi się kolejny kot, poświęcajcie dużo czasu rezydentowi, gdy w jego pobliżu znajdzie się nowy domownik. To powinno go upewnić, że chociaż nie jest już jedyny, to nadal jest kochany. Poświęcając kotom wiele uwagi, można zminimalizować prawdopodobieństwo wystąpienia konfliktów między nimi.

Pies i kot

Wprowadzenie kota do mieszkania, w którym jest już pies, również wymaga wielkiej ostrożności. Między dorastającymi razem kociętami i szczeniętami nawiązuje się dozgonna przyjaźń. Jeśli jednak do pierwszego spotkania ma dojść, gdy jedno z nich jest już dorosłe, musicie bardzo uważać. Wy najlepiej znacie swoich podopiecznych. Jeśli wasz pies nie jest zbyt przyjazny i wykazuje wrogie zachowanie, to przywiezienie do domu dorosłego kota nie jest najlepszym posunięciem. Co innego, gdy pies jest łagodny. Wówczas kolejne zwierzę może być źródłem wielu radości.

Gdy dorosły pies miał już wcześniej kontakt z kotami, powinien z łatwością zaakceptować dorosłego lub młodego kota. Mimo to, obserwujcie zwierzęta uważnie przez pierwszy miesiąc czy dwa. Zanim zostawicie je same w mieszkaniu, upewnijcie się, że ich wzajemne stosunki są przyjazne. Nigdy nie zostawiajcie młodego kota sam na sam z psem, nawet jeśli wszystko dobrze się między nimi układa, bowiem podczas zabawy pies może niechcący zranić kota.

Socjalizacja lękliwych kotów

Jeśli młody lub dorosły kot, którego przygarnęliście, jest nieśmiały i lękliwy, uprzedźcie przyjaciół, aby go nie głaskali i nie szczotkowali, bowiem mogą zostać pogryzieni lub podrapani. Lepiej, aby odwiedzali was małymi grupkami i żeby wizyta trwała kilka godzin. Zwierzę prawdopodobnie na początku się schowa, ale jeśli goście pozostaną dłużej, to po pewnym czasie wyjdzie z ukrycia, chcąc zbadać otoczenie. Poproście ich, aby nie narzucali się kotu, nie próbowali brać go na ręce – wystarczy sama ich obecność. Zaopatrzcie gości w smakołyki, które będą podawać zwierzęciu, ilekroć znajdzie się w ich pobliżu. W ten sposób waszemu pupilowi pozytywnie będzie kojarzyć się obecność gości czy członków rodziny.

Nie oczekujcie, że lękliwy, dorosły kot zmieni swoje zachowanie. Zwierzęta o takim usposobieniu być może nigdy nie polubią brania na ręce przez obce osoby ani nie będą przepadać za zabawą z nimi. Respektujcie to i zasugerujcie gościom, aby byli cierpliwi i czekali, aż kot sam do nich podejdzie. Po pewnym czasie, gdy zwierzę przekona się, że nie chcą go skrzywdzić, może będzie mniej lękliwe.

WARUNKOWANIE

Podczas pierwszych kilku miesięcy pobytu nowego kota w waszym mieszkaniu zacznijcie uczyć go pożądanych zachowań. Jest to w miarę proste – musicie tylko nagradzać zwierzę, gdy zachowa się właściwie. Jeśli kot nadal awanturuje się podczas szczotkowania sierści, należy go skarcić, a gdy jest spokojny – nagrodzić. Nagradzajcie go także, gdy zachowuje się przyjaźnie w stosunku do innych zwierząt i ludzi.

Wiele osób sądzi, że koty nie chcą się uczyć, ale to nieprawda! Koty są inteligentne i tak samo zasługują na uwagę, jak psy. W rozdziale 9. omówiono, jak zaradzić niepożądanym zachowaniom, nagradzając koty za właściwe zachowanie i starając się zrozumieć ich postępowanie. Ucząc kota właściwych zachowań, nie tylko rozwijacie jego inteligencję, ale także sobie ułatwiacie życie.

DLACZEGO NALEŻY NADAĆ KOTU IMIĘ?

Ważne jest nadanie kotu imienia, na które będzie reagował. Reagowanie na własne imię ma istotne znaczenie podczas szkolenia zwierzęcia. W ten sposób można wzmacniać jego określone zachowania.

Gdy kot stoi przed wami lub trzymacie go na rękach, wypowiedzcie jego imię i natychmiast go pochwalcie. Głaszczcie lub nagradzajcie smakołykami za każdym razem, gdy zareaguje na swoje imię. Jeśli naukę rozpoczniecie z młodym kotem, możecie być pewni, że będzie je rozpoznawał i łączył jego dźwięk z czymś przyjemnym. Sprzyja to także większemu posłuszeństwu zwierzęcia.

UCZENIE PRZYCHODZENIA NA ZAWOŁANIE

Wbrew obiegowym opiniom, kota łatwo nauczyć przychodzenia na zawołanie! Często ludzie nie są tego świadomi. A przecież wiele kotów przybiega do kuchni na odgłos otwieranej puszki czy torby z suchą karmą.

Uczenie zwierzęcia komendy „do mnie", poza rozwijaniem jego zdolności intelektualnych, przyczynia się również do pogłębiania więzi między nim a wami oraz innymi domownikami. Komenda ta może także okazać się pomocna w zapobieganiu niepożądanym zachowaniom.

Jeśli zauważycie, że wasz kot robi coś, czego nie powinien – jak np. kopanie w doniczkach czy drapanie kanapy – zamiast krzyczeć na niego lub spryskiwać wodą, możecie po prostu go zawołać, a po przyjściu nagrodzić. Kot szybko skojarzy, że bardziej opłaca się przyjść i otrzymać nagrodę niż dalej psocić. Oto kilka rad, jak nauczyć kota przychodzenia na zawołanie.

1. Karmcie kota o ściśle określonych porach, jak wcześniej wspomniano. Uczucie głodu jest podstawą uczenia wszelkich zachowań.

2. Kupcie kliker, specjalny przyrząd do wzmacniania pozytywnych zachowań. Można go dostać w sklepach z artykułami dla zwierząt lub zamówić przez

Internet. Wydawany przez kliker dźwięk na pewno przyciągnie uwagę waszego czworonoga.

3. Przez miesiąc, za każdym razem, gdy będziecie wykładać pokarm do miski, klikajcie, aż kot przyjdzie. Następnie pogłaszczcie go, mówiąc przy tym „dobry kotek", i pozwólcie mu spokojnie zjeść posiłek. Używajcie klikera tylko podczas karmienia kota.

 Kocie sprawy: Kiedy zakończyć naukę?
Rozpoczynając uczenie kota przychodzenia lub innego zachowania, pamiętajcie, aby nie przemęczać zwierzęcia. Zakończcie szkolenie, gdy wykona zadanie prawidłowo. Pamiętajcie: koty szybko nudzą się ciągłym powtarzaniem tych samych czynności.

4. Tuż przed porą karmienia stańcie dość blisko kota. W jednej ręce trzymajcie nagrodę, a w drugiej kliker. Nagradzając kota, kliknijcie. Wasz pupil powinien do was przyjść, aby otrzymać nagrodę. Wykonujcie to ćwiczenie raz dziennie, w porze karmienia kota. Gdy zwierzę pojmie, o co chodzi, klikajcie z większej odległości. Po kilku tygodniach będziecie mogli kliknąć z innego pomieszczenia, a kot i tak do was przyjdzie.

Przychodzenie na zawołanie powinno być zawsze nagrodzone smakołykiem. Poza tym należy kota pochwalić, mówiąc „dobry kotek".

WYPROWADZANIE NA SMYCZY

Wyprowadzanie kota na spacer w szelkach i na smyczy jest dla niego o wiele bezpieczniejsze niż swobodne wałęsanie się poza domem.

Kocie sprawy: Szelki

Zamiast do obroży, przyczepiajcie smycz do szelek. Jeśli kot będzie w szelkach, nie wyśliźnie się z nich, gdy się przestraszy. Poza tym szelki nie zaciskają się na szyi kota, co mogłoby go dodatkowo niepokoić.

Zanim zaczniecie przyzwyczajać kota do prowadzenia na smyczy, zapamiętajcie:

1. Przyzwyczajajcie kota do prowadzenia na smyczy, gdy jest młody. Niewiele dorosłych kotów będzie tolerowało szelki i smycz.

2. Zdobądźcie bezgraniczne zaufanie kota, zanim spróbujecie pójść z nim na spacer. Niektóre koty, a nawet kocięta, mogą się denerwować, gdy są prowadzone na smyczy. W takiej sytuacji nie zmuszajcie waszego czworonoga do spaceru. Spokój i czas są najlepszym rozwiązaniem.

3. Nigdy nie zabierajcie kota na spacer w ruchliwe miejsca, pełne przechodniów i samochodów, dziwnych odgłosów, psów czy innych niespodzianek. Jeśli wasz kot się przestraszy, może wpaść w panikę i w rezultacie się zranić. Spacerujcie z nim tylko w spokojnej okolicy, najlepiej w pobliżu domu lub na jego tyłach, w ogrodzie.

4. Przerwijcie spacer, gdy kot zacznie się opierać lub denerwować. Nigdy nie narażajcie kota na nieprzyjemności.

5. Załóżcie kotu obrożę z identyfikatorem na wypadek, gdyby się zgubił.

Kupcie kotu szelki i smycz, gdy skończy czternaście lub szesnaście tygodni, ewentualnie po zakończeniu szczepień. Smycz powinna być wykonana z lekkiej, ale mocnej taśmy i mieć około półtora metra długości.

Poniżej przedstawiamy etapy uczenia kota wyprowadzania na spacer na smyczy (przećwiczcie w domu):

1. Nie zakładajcie kotu od razu szelek. Szelki i smycz połóżcie obok jego miski z jedzeniem i pozostawcie na mniej więcej tydzień lub dajcie je kotu do zabawy. Zachęćcie zwierzę do obejrzenia i dotknięcia ich łapką.

2. Gdy kot przyzwyczai się do wyglądu szelek, przytrzymajcie go i delikatnie przeciągnijcie nimi po jego grzbiecie, aby poczuł ich dotyk. Przykładajcie je kilka razy, aż zwierzę przyzwyczai się do tego. Powtarzajcie tę czynność przez kilka dni, za każdym razem chwaląc i nagradzając kota.

3. Przeczytajcie instrukcję zakładania szelek, aby założyć je kotu sprawnie i delikatnie. Wykonując tę czynność, nie spieszcie się i przerwijcie ją, gdy wasz czworonóg się zdenerwuje. Szelki muszą być z początku poluzowane. Nagradzajcie kota smakołykami, żeby zakładanie szelek kojarzyło mu się pozytywnie. Zanim wyjdziecie na spacer, należy się upewnić, czy zwierzę jest spokojne.

4. Wydłużajcie czas noszenia szelek do 20 minut i więcej, zależnie od długości planowanych spacerów.

5. Jeśli kotek w szelkach będzie się w domu zachowywał spokojnie przez 20 minut, doczepcie do nich lekką smycz. Pochwalcie go i nagródźcie smakołykami. Na koniec zachęćcie do spaceru wokół pokoju. Bawcie się z nim zabawkami, gdyby to było konieczne. Nie odpinajcie smyczy. Poluzujcie ją, gdy prowadzi-

cie zwierzę po pokoju, aby go nie ciągnąć. Z początku ćwiczcie prowadzenie kota na smyczy przez minutę lub dwie.

6. Stopniowo przyzwyczajajcie kota do pociągania smyczy. Wolno ją napinajcie, aby zwierzę nie wpadło w panikę. Nigdy nie ciągnijcie kota na smyczy po pokoju. Dajcie mu tydzień, aby się przyzwyczaił do napiętej smyczy i do pociągania za nią.

7. Spacerujcie z kotem po mieszkaniu każdego dnia, aż się do tego przyzwyczai. Pamiętajcie o nagradzaniu go smakołykami. Kot powinien być odprężony i ufny. Przerwijcie spacer, jeśli zwierzę będzie poirytowane.

8. Zabierzcie kota na spacer w spokojne miejsce, aby sprawdzić, jak się zachowuje prowadzony na smyczy. Podążajcie za nim; smycz powinna być poluzowana. Spacerujcie przez kilka minut, pochwalcie kota i wróćcie do domu. Stopniowo wydłużajcie czas spacerów i zachęcajcie zwierzę, aby samo sygnalizowało, że chce wrócić do domu.

9. Jeśli kot jest spokojny, wydłużajcie czas spaceru, starając się unikać zagrożeń.

10. Zabierajcie kota na spacer codziennie. Zawsze miejcie przy sobie smakołyki i nagradzajcie zwierzę podczas spaceru. Nigdy nie spuszczajcie go ze smyczy!

Kocie sprawy: Nie przesadzaj!

Nigdy nie należy karcić kota za niewykonane zadanie. Karanie zwierzęcia zwykle prowadzi do utraty jego zaufania. Koty nie powinny – i nie mogą – być zmuszane do czegokolwiek. Budując więzi z kotem, zdobywacie jego zaufanie i zachęcacie do nauki.

Gdy kot opanuje już podstawowe zasady zachowania, nic nie przeszkodzi w nawiązaniu się między wami przyjaźni. Silne więzi i przyjaźń nie oznaczają jednak braku problemów. W następnym rozdziale omówiono sposoby unikania i eliminowania niewłaściwych zachowań kota.

Eliminowanie
niewłaściwych zachowań

C o to jest „właściwe zachowanie"? Jeśli kot zachowuje się w mieszkaniu nie tak, jak sobie tego życzycie, nie oznacza to, że jego zachowanie jest niewłaściwe. Znakowanie, w tym drapanie, to naturalne zachowania kota w przyrodzie, lecz w mieszkaniu mogą budzić wasz sprzeciw. Należy wszystko starannie rozważyć i zdecydować, co dla was jest jeszcze właściwym zachowaniem, a co już nie, i postępować tak, aby zwierzę zachowywało się zgodnie z waszym życzeniem. W tym rozdziale dowiecie się, jak wyeliminować złe nawyki kota lub jak się przed nimi uchronić.

Zanim zaczniecie korygować niewłaściwe zachowania, skontaktujcie się z lekarzem weterynarii, aby zbadał waszego czworonoga. Wiele nieodpowiednich zachowań zwierzęcia, które pojawiły się nagle, może wynikać z problemów zdrowotnych i da się je usunąć, stosując odpowiednie leczenie. Pamiętajcie: najpierw zdrowie, potem właściwe zachowanie. Możecie sprawić, że kot będzie zdrowy i właściwie się zachowywał. (W rozdziale 11. omówiono pospolite choroby kotów).

ZAŁATWIANIE SIĘ W MIESZKANIU
Oddawanie moczu i kału poza kuwetą to jedne z najczęstszych problemów z zachowaniem kota. Najpierw jednak

należy sprawdzić, czy jest spowodowane potrzebą znakowania terytorium.

Musicie przyłapać kota na gorącym uczynku. Jeśli kuca przy oddawaniu moczu (zarówno kot, jak i kotka), jest to oznaka wyłącznie wykonywania czynności fizjologicznej, a nie znakowania terytorium. Podczas znakowania kot ustawia się tyłem do znakowanej powierzchni. Ilość moczu użyta do tego celu jest mniejsza niż przy zwykłej czynności fizjologicznej. Mocz wykorzystywany do spryskiwania ma dużo intensywniejszy zapach, ponieważ zmieszany jest z feromonami (wydzielinami gruczołów zapachowych). Znakowanie terytorium kałem zdarza się u kotów niezwykle rzadko i tylko w pomieszczeniu, które diametralnie zostało zmienione.

Wszystko przez kuwetę

Jeśli wykluczymy problemy zdrowotne, to musi być inna przyczyna.

Wszystkiemu może być winna brudna kuweta. Właściciel, który zapomni ją wyczyścić, sam prosi się o kłopoty. Starajcie się zawsze utrzymywać kuwetę w czystości. Jeśli macie więcej niż jednego kota, ustawcie dodatkową kuwetę i często wymieniajcie ściółkę.

 Kocie sprawy: Neutralizowanie zapachu
Musicie dokładnie umyć miejsce, w którym kot nie powinien się załatwić, a potem spryskać je środkiem neutralizującym nieprzyjemne zapachy, aby usunąć odór kocich odchodów. Inaczej ich woń może być na tyle atrakcyjna, że zwierzę załatwi się w tym miejscu ponownie.

Wybierzcie jeden z oferowanych typów ściółek i trzymajcie kuwetę zawsze w tym samym miejscu, nawet jeśli wymienicie ją na inną. Pamiętajcie, koty są drobiazgowe i kierują się ustalonymi zasadami. Im mniej zmian zajdzie w ich otoczeniu, tym będą szczęśliwsze (więcej szczegółów na ten temat znajdziecie w rozdziałach 5. i 8.).

Nie za blisko

Koty nie będą się załatwiać w pobliżu miejsc, gdzie jedzą i śpią. Jeśli ustawicie kuwetę zbyt blisko, może to być przyczyną problemów. Upewnijcie się, czy kuweta jest ustawiona w odpowiedniej odległości od „zastrzeżonych" miejsc. Jeżeli musicie ją przenieść, róbcie to stopniowo i pokazujcie kotu, gdzie się znajduje.

Przeprowadzka

Przeprowadzka może być dla kota bardzo stresująca. Nagle wszystko wygląda inaczej, wszędzie jest pełno nowych, nieznanych zapachów. Znalezienie się w nowym miejscu to dla niego poważne wyzwanie. Musi poznać nowe otoczenie, zanim poczuje się w nim dobrze.

Przeprowadzając się do nowego mieszkania, zabierzcie ze sobą jak najwięcej przedmiotów ze starego, takich jak meble, dywany, zabawki kota. Na tych przedmiotach zapewne pozostanie zapach starego mieszkania, co pomoże kotu zadomowić się w nowym. Jeśli zwierzę zaczyna brudzić w mieszkaniu tuż po przeprowadzeniu się do niego, będziecie musieli przez jakiś czas ograniczyć przebywanie waszego czworonoga do jednego pomieszczenia, dopóki się nie uspokoi i nie przyzwyczai do nowych zapachów. Ustawcie kuwetę w rogu pokoju, ale nie umieszczajcie w tym miejscu misek na wodę i pokarm, bowiem kot uzna, że są zbyt blisko. Karmcie go w innym pomieszczeniu.

Jeśli problem będzie istniał nadal, ograniczcie jeszcze bardziej „przestrzeń życiową" kota, do kilku metrów kwadratowych, robiąc ogrodzenie z siatki. Umieśćcie kuwetę w jednym rogu i sprawdźcie, czy podłoga w tym miejscu nie ma nieprzyjemnego zapachu. Kot może unikać takich powierzchni.

Niepokój

Jeśli kot czuje się niepewnie lub jest denerwowany przez długi czas, może zacząć brudzić w mieszkaniu. Starajcie się nie oddawać kota obcym osobom na czas waszej nieobecności, ponieważ może to go stresować. Poproście raczej kogoś, kogo zwierzę dobrze zna i ufa mu, aby przychodził raz lub dwa razy w ciągu dnia, by je nakarmić, wyczyścić kuwetę i pobawić się z nim. Pozostawiając kota na jego terytorium, uchronicie go przed stresem, który może wywołać obecność nieznanych osób, zwierząt czy dźwięków.

Jeśli nie uda się wam znaleźć kogoś, kto przychodziłby do kota w czasie waszej nieobecności, zawieźcie zwierzę do swoich przyjaciół lub krewnych, których zna i im ufa. Zabierzcie kuwetę, miseczki, zabawki i inne znane kotu przedmioty, aby czas spędzony poza domem nie był dla niego stresujący.

ZNAKOWANIE MIESZKANIA

Jak już wspomniano, zarówno kocury, jak i kotki zostawiają zapachowe wizytówki informujące o gotowości do rozrodu albo zajęcia terytorium, w celu zapewnienia sobie i potomstwu wystarczającej ilości pokarmu.

Koty nie mają zwyczaju znakowania wnętrza terytorium. Wyjątkowo jednak dominujące kocury lub kotki mogą spryskiwać moczem dom, jeśli jest duży i przewija się przez niego wiele osób.

Co zrobić, żeby kot przestał znakować mieszkanie

Przede wszystkim należy kota wykastrować. Niewykastrowane zwierzę będzie spryskiwać mieszkanie, zwłaszcza gdy wyczuje obecność obcych ludzi lub zwierząt, nawet jeśli przebywają poza domem! Jeśli kot został wykastrowany późno, to może nadal spryskiwać mieszkanie. Spróbujcie więc zniechęcić kota do takiego zachowania.

1. Umyjcie dokładnie spryskane przez kota miejsca środkami neutralizującymi zapachy, a następnie potraktujcie substancjami odstraszającymi, dostępnymi w sklepach z artykułami dla zwierząt.

2. Spryskajcie kota wodą, gdy przyłapiecie go na gorącym uczynku.

3. Zastosujcie jedną z „pułapek". Miejsca, które często spryskuje, otoczcie dookoła taśmą dwustronnie klejącą. Dobre efekty dają także pasy z folii aluminiowej, płytkie naczynia z wodą lub kawałki zmiętego papieru.

4. Jeśli „pułapki" zawiodą, umieśćcie w pobliżu spryskiwanych miejsc miskę na pokarm. Koty nie lubią znakować miejsc, blisko których znajduje się jedzenie, więc być może przestaną się zachowywać w niechciany przez was sposób. Jeśli postanowicie zastosować tę technikę odstraszania, usuńcie przedtem wspomniane „pułapki".

Gdy żaden z powyższych sposobów nie skutkuje i zwierzę nadal spryskuje mieszkanie, ograniczcie na tydzień lub dwa jego terytorium do jednego pokoju lub dużej klatki. Następnie stopniowo wprowadzajcie kota do pozostałych pomieszczeń, za każdym razem tylko do jednego. Ograniczenie terytorium powoduje, że zwierzę ma mniej powodów do jego spryskiwania. Oczywiście, można uniknąć tego nieprzyjemnego zachowania, kastrując kota, zanim ukończy 6. miesiąc życia.

Kocie sprawy: Koty podwórzowe będą znakowały mieszkanie

Każdy kot, któremu pozwolicie włóczyć się poza domem, będzie znakował swoje terytorium, nawet jeśli zostanie wykastrowany. Umożliwiając kotu przebywanie poza domem, mimochodem zachęcacie go do znakowania swego otoczenia. To jeden z powodów, aby trzymać kota wyłącznie w mieszkaniu.

Pamiętajcie, że nawet najgrzeczniejszy, czujący się bezpiecznie kot może zacząć znakować mieszkanie, jeśli nagle zamieszkają w nim nowe osoby lub zwierzęta. Kot potraktuje to jak najazd na jego terytorium, poczuje się zagrożony i zacznie je spryskiwać.

Nowe zwierzę wprowadzajcie do domu powoli, trzymając je początkowo w klatce lub ograniczając mu przebywanie tylko w jednym pomieszczeniu, jak opisano w rozdziale 8.

Gdy kot jest lękliwy lub nerwowy, niewiele trzeba, aby się zestresował. Często niespodziewana wizyta obcej osoby wystarczy, by taki kot zaczął się niewłaściwie zachowywać, ze znakowaniem mieszkania włącznie. Nerwowe, niepewne siebie zwierzę może zacząć znakować mieszkanie, aby poczuć się pewniej w otoczeniu własnych zapachów. Rozwiązaniem problemu może być przyzwyczajanie kota do obcych oraz utwierdzanie go, że jest bezpieczny w swoim mieszkaniu.

Przemeblowanie może również stymulować kota do znakowania otoczenia, które stało się dla niego obce.

Postarajcie się stopniowo przestawiać meble, najpierw w jednym pomieszczeniu, potem w następnym i tak dalej.

Zawsze postępujcie według podanych zasad: umyjcie dokładnie wszystkie spryskane moczem powierzchnie, usuńcie zapach, a w razie potrzeby zastosujcie metody odstraszające kota. Jednakże w przypadku bojaźliwych kotów lepiej nie używać środków w aerozolu, ponieważ mogą zwierzęta dodatkowo stresować.

Kocie sprawy: Wałęsanie się przyczyną spryskiwania mieszkania

Regularne przebywanie kota poza domem może być przyczyną spryskiwania przez niego mieszkania. Zwierzę chce w ten sposób umocnić swoją pozycję właściciela terytorium na wypadek „inwazji obcych". W takich przypadkach koty znaczą miejsca w pobliżu drzwi i okien. Nie zachęcajcie waszego pupila do wędrówek po całym mieszkaniu w porze posiłków i nie pozwalajcie mu wychodzić na zewnątrz. Jeśli wasi sąsiedzi mają kota, poproście ich, aby nie pozwalali mu wchodzić na waszą posesję.

Znakowanie odchodami

Choć zdarza się to niezwykle rzadko, koty czasami znakują swoje otoczenie odchodami. Zwierzę często tak się zachowuje, gdy jego świat zostanie przewrócony do góry nogami. Przyczyną tego bywa przeprowadzka do nowego domu lub pojawienie się w nim nowego lokatora. Kot, który większość życia spędził poza domem, może w ten sposób znakować mieszkanie. Ponadto koty, zarówno te trzymane w mieszkaniu, jak i poza nim, w których otoczeniu żyje wiele innych zwierząt, także znakują swoje terytorium odchodami.

Jeśli pozwolicie kotu przebywać długo poza domem, najprawdopodobniej będzie znakował odchodami wszystkie pomieszczenia.

Dominujący kot często nie zagrzebuje swoich odchodów, aby pokazać innym kotom (a także ludziom), że to on jest „szefem". Pamiętajcie: koty zagrzebują odchody, aby nie zdradzać swojej obecności przed innymi osobnikami lub w celu zademonstrowania uległości wobec dominujących osobników. Jeśli kot uzna, że ma władzę, może znakować teren odchodami, żeby to podkreślić.

Niekastrowane koty zachowują się tak znacznie częściej niż kastrowane. Nie czekajcie zatem, aż wasz kocur zostawi prezent w wannie. Wykastrujcie go!

Można zminimalizować szansę wystąpienia u zwierzęcia tego niepożądanego zachowania nie tylko je kastrując, ale także przyzwyczajając już od najmłodszego wieku do obecności innych osób i zwierząt, trzymając wyłącznie w mieszkaniu i unikając zmian w otoczeniu. W razie potrzeby ograniczcie kotu jego terytorium i stopniowo wprowadzajcie go do pozostałych pomieszczeń, a wkrótce znów będzie załatwiał się do kuwety.

DRAPANIE

Dzikie koty ostrzą pazury, drapiąc drzewa lub inne przedmioty. Takie zachowanie ma na celu przede wszystkim oznakowanie granic terytorium zwierzęcia. W ten sposób kot pozostawia nie tylko widoczne, ale także zapachowe znaki swej obecności – między opuszkami znajdują się gruczoły zapachowe. Jednak to, co nieszkodliwe w naturze, może być bardzo uciążliwe w domu. Na szczęście stosunkowo łatwo poradzić sobie z takim zachowaniem kota.

Jeśli zwierzę ma zwyczaj drapać w jednym miejscu, może to oznaczać, że jedynie ostrzy sobie pazury. Jeśli jednak drapie różne miejsca, zwłaszcza w pobliżu drzwi i okien, to znakuje swoje terytorium.

Słupki do drapania

Kot musi drapać, należy więc wskazać mu miejsce, gdzie będzie mógł to robić. Jak wspomniano wcześniej, kot powinien dostać do drapania kilka twardych, owiniętych sznurem słupków, a jeszcze lepiej (w miarę możliwości) zestaw do zabawy, którego wielkość będzie, oczywiście, zależała od powierzchni pomieszczenia (patrz rozdział 5.). Elementy zestawu powinno się porozstawiać w różnych miejscach i zachęcić kota, aby ich używał. Słupki do drapania dobrze jest ustawić w pobliżu miejsc, które kot lubi drapać, a nie powinien, jak sofa czy draperie. Za każdym razem, gdy zobaczycie, że drapie ustawione przez was słupki, nagradzajcie go. W przypadku zestawu do zabawy możecie ukryć na szczycie jednego z elementów przysmaki lub zawiesić zabawki, by zachęcić kota do drapania zestawu.

Można ograniczyć, a nawet wyeliminować ten niepożądany nawyk kota, stosując się do jednej lub wszystkich z poniższych rad.

1. Spryskajcie kota wodą, gdy przyłapiecie go na drapaniu. Starajcie się robić to z odległości około 2 m,

żeby zwierzę nie kojarzyło was z tą czynnością. Istotny jest właściwy moment – kot powinien zostać spryskany, gdy tylko zacznie drapać, aby skojarzył drapanie z nieprzyjemnym dla niego doświadczeniem.

2. Potraktujcie najczęściej drapane miejsca środkiem odstraszającym o nieprzyjemnym dla kota zapachu, dostępnym w sklepach z artykułami dla zwierząt.

3. Zastosujcie wcześniej opisane „pułapki". Przyczepcie do często drapanych powierzchni taśmę dwustronnie klejącą, kawałki zmiętego papieru lub folię aluminiową. Wszystkie są nieprzyjemne dla łapek zwierzęcia.

Usuwanie pazurów

Pazury kota można usunąć chirurgicznie (często usuwa się je tylko z przednich łap).

Wielu właścicieli usuwa pazury kotom, zanim spróbują oduczyć ich drapania. Nie należy jednak tego robić z kilku powodów. Po pierwsze, zabieg przeprowadza się w znieczuleniu ogólnym, co zawsze stanowi niebezpieczeństwo dla zwierzęcia, nie wykluczając kota. Po drugie, jest bardzo nieprzyjemne. Usunięcie pazurów może nawet oznaczać wyrok śmierci dla kota, bowiem napadnięte zwierzę nie ma czym się bronić i nie może sprawnie wspinać się na drzewa.

Zamiast usuwać pazury, lepiej nauczyć kota prawidłowego zachowania i korygować złe nawyki. Często nie jest to trudne, wystarczy dać zwierzęciu słupki do drapania i zachęcać, aby ich używało, nagradzając za każdym razem, gdy tak się zachowa.

„Ochraniacze" na pazury

Istnieją plastikowe ochraniacze, które można nakleić kotu na pazury, tak że zwierzę nie będzie drapać mebli. Nie są one jednak łatwo dostępne ani łatwe w użyciu. Musi je nałożyć weterynarz i należy wymieniać je co 6–8 tygodni, ponieważ zwierzę w podobnych odstępach czasu zrzuca stare pazury. Większość kotów początkowo nie może przyzwyczaić się do plastikowych osłonek na pazurach, ale w końcu je akceptują. Są wprawdzie nietrwałe, jednak stanowią lepsze rozwiązanie niż zabieg chirurgiczny.

ZJADANIE ROŚLIN

Chociaż koty to mięsożercy, jedzą także niektóre rośliny. Wielu właścicieli potwierdzi, że ich zwierzaki lubią ogryzać rośliny doniczkowe i niektóre ogrodowe. Mimo że kotom domowym nie trzeba wzbogacać diety pokarmem roślinnym dostarczającym witamin i soli mineralnych (koty otrzymują niezbędne substancje pokarmowe z dobrej jakości karmą, suchą czy z puszki), zdarza się, że zjadają liście, aby polepszyć pracę przewodu pokarmowego. Często po zjedzeniu roślin wymiotują, co umożliwia im pozbycie się z przewodu pokarmowego niepożądanych substancji lub kul sierści.

Oczywiście, koty mogą zjadać rośliny dla ich smaku czy zapachu. Zwróćcie uwagę, jak reagują na kocimiętkę!

Bez względu na przyczyny, zjadanie roślin może nie tylko skończyć się dla kota nieprzyjemnie, ale także stanowić śmiertelne zagrożenie. Zwierzę przebywające poza domem może natknąć się na trujące rośliny dziko rosnące lub uprawiane w ogrodzie (patrz rozdział 5., w którym zamieszczono listę roślin trujących).

Nigdy zatem nie trzymajcie w domu trujących roślin ozdobnych, takich jak difenbachia czy filodendron. Można uchronić kota przed zjedzeniem roślin trujących, a rośliny przed kotem na wiele sposobów.

1. Jeśli kot przebywa poza domem (nawet pod opieką), upewnijcie się, czy w ogrodzie nie rosną grzyby, trujące krzewy, jak azalie i różaneczniki, oraz rośliny jednoroczne, np. pomidory lub fasola.

2. Rośliny doniczkowe przestawcie z podłogi na wyżej położone miejsca, choćby na okno czy półkę, tak aby kot nie mógł obok nich siąść i obgryzać liści. W miarę możliwości powieście rośliny pod sufitem.

3. Przykryjcie glebę w doniczkach kartonem lub kamieniami, aby kot nie mógł w niej grzebać.

4. Kupcie takie środki odstraszające koty (dostępne w sklepach z artykułami dla zwierząt), które będą bezpieczne dla roślin, nawet po zastosowaniu ich na liście.

5. Umieśćcie taśmę dwustronnie klejącą, folię aluminiową lub płytkie miski z wodą wokół miejsc, gdzie trzymacie rośliny.

6. Zestawcie rośliny w jedną lub dwie grupy, zamiast rozstawiać je po całym mieszkaniu. Zapewni im to lepszą ochronę przed kotem, a wam łatwiej będzie nauczyć waszego pupila, aby trzymał się od nich z daleka.

7. Jeśli przyłapiecie kota na gorącym uczynku, spryskajcie go wodą.

8. Dajcie kotu do jedzenia trawę (można ją łatwo uprawiać w domu). Pojemnik z nią ustawcie tak, aby zwierzę miała do niego łatwy dostęp, ale daleko od roślin doniczkowych, na przykład w pobliżu misek z jedzeniem, i zachęćcie waszego pupila, aby obgry-

zał rośliny wysiane specjalnie dla niego, a nie ozdob-
ne. Możecie kupić nasiona kocimiętki i wysiać je. Pozwólcie kotu zjadać kocimiętkę albo ususzcie jej liście
i umieśćcie wewnątrz skarpety lub kłębka włóczki.

9. Sprawcie, aby otoczenie kota było interesujące. Obgryzanie roślin doniczkowych może świadczyć, że
wasz czworonóg się nudzi, zapewnijcie mu więc zestaw do ćwiczeń, dajcie zabawki oraz kartonowe pu-
dła czy papierowe torby, w których mógłby się cho-
wać i bawić. Także trzymanie dwóch kociąt zamiast
jednego sprawi, że zwierzęta będą się ze sobą bawić,
a nie nudzić.

ŻEBRANIE O POKARM

Nagradzanie kota smakołykami podczas nauki może spowodować, że zwierzę zacznie żebrać o pokarm. Oto, co
możecie zrobić, aby do tego nie dopuścić:

1. Karmcie kota o określonych porach.

2. Nie nagradzajcie, jeśli nie oczekujecie od niego wy-
konania jakiegoś zadania.

3. Nigdy nie karmcie go przy stole ani nie pozwalajcie
mu jeść z waszego talerza.

4. Nie dawajcie jedzenia przeznaczonego dla ludzi,
a wyłącznie karmę dla kotów.

5. Miejcie zawsze pod ręką mały pistolet na wodę, na
wypadek, gdyby wasz kot się naprzykrzał. Nie używajcie do karcenia zwierzęcia spryskiwacza do roślin, bowiem strumień wody może być zbyt silny.

SKAKANIE I WSPINANIE SIĘ

Nie ma nic gorszego niż kot wskakujący na stół czy półki
w kuchni i zaglądający do potraw lub wspinający się na fi-

rany i zasłony. Musicie przestrzegać stałych pór karmienia kota. Jeśli zwierzę wskoczy na stół kuchenny, spryskajcie je wodą, tak jak opisano wcześniej w przypadku innych niepożądanych zachowań. Chowanie jedzenia, tak by było dla kota niedostępne, oraz sprzątanie zaraz po jedzeniu być może zniechęci zwierzę do wskakiwania na stół czy półki. Pomocne może okazać się także zastosowanie taśmy dwustronnie klejącej czy folii aluminiowej, które skutecznie powstrzymają kota przed wskakiwaniem i wspinaniem się na różne przedmioty. Delikatne powierzchnie, jak firanki czy zasłony, można spryskać rozcieńczonym alkoholem lub substancją odstraszającą. Wypróbujcie najpierw te środki na starych materiałach, aby nie zniszczyć tkanin czy mebli.

NIEODPARTA CHĘĆ POLOWANIA

Dużo większym zmartwieniem właścicieli kotów jest silna potrzeba tych zwierząt do polowania, pomimo tysięcy lat udomowienia. Większość z nas nie chce, aby ich czworonogi dziesiątkowały zwierzęta żyjące w naszym otoczeniu. Koty domowe, choć karmione regularnie, często polują na szczury, myszy czy wiewiórki, które mogą przenosić groźne choroby zakaźne, włącznie z wścieklizną. Widok porozrzucanych po całym mieszkaniu ofiar kota, na pewno nie należy do przyjemności. Nie pozwólcie więc mu włóczyć się poza domem.

Pamiętajcie, że nawet zwierzę przebywające tylko na tarasie czy balkonie może wyrządzić wiele szkód. Mały dzwoneczek przyczepiony do obroży utrudni kotu podkradanie się do ptaków lub drobnych ssaków, jednak nie zapewni im całkowitej ochrony. Bacznie obserwujcie waszego pupila!

ZACHOWANIA AGRESYWNE

Zachowania agresywne zdarzają się od czasu do czasu każdemu zwierzęciu. Choć są zwykle niepożądane, niekiedy mogą być uzasadnione, jak choćby w przypadku kotki broniącej kociąt czy kotów próbujących odstraszyć naprzykrzające się im dzieci. Zdarzają się jednak zachowania agresywne o podłożu genetycznym, powodowane strachem czy wynikające z chęci dominacji.

Niezależnie od tego, czy są one uzasadnione, czy nie, mogą być przyczyną kłopotów, a także stać się groźne dla właściciela, który nie rozumie ich podstaw albo nie jest na nie przygotowany. Reagując nieprawidłowo, można tylko pogorszyć sprawę. Zachowania agresywne stanowią jeden z częstszych problemów, po brudzeniu w domu, z jakimi spotykają się właściciele kotów, dlatego tak istotne jest poznanie różnych typów i przyczyn takich zachowań. Jeśli zdarza się kotu zachowywać agresywnie w stosunku do ciebie, innych osób lub zwierząt, należy skontaktować się z lekarzem weterynarii.

Zachowania agresywne o podłożu dziedzicznym

Zdarza się, że kot rodzi się z dodatkowym palcem, czemu więc nie mógłby urodzić się ze skłonnościami do zachowań agresywnych? Bardzo trudno to przewidzieć, bowiem często nie zna się rodziców kota i ich charakteru. Na szczęście, agresja u kotów występuje stosunkowo rzadko. W przypadku kotów rasowych łatwo jej zapobiec, właściwie prowadząc hodowlę.

Dobry hodowca nigdy nie dopuści, aby agresywny kocur lub kotka miały potomstwo, nawet jeśli doskonale się prezentują.

Można nie dostrzec niczego niepokojącego w zachowaniu kota, który ma dziedziczną skłonność do agresji. Często u kociąt zaburzenia zachowania pojawiają się dopiero w późniejszym wieku. I choć 3–4 tygodniowe zwierzęta zachowywały się normalnie, potem przestają bawić się ze swoim rodzeństwem z miotu i wykazują zachowania niesocjalne. Najprawdopodobniej nie doświadczycie takiego problemu, chyba że padliście ofiarą nieuczciwego hodowcy lub przygarnęliście bezdomnego kota.

Unikajcie niedoświadczonych i nieuczciwych hodowców – skontaktujcie się z takim, który ma dobrą opinię. W przypadku mieszańców obserwujcie matkę kocięcia – jeśli jest to możliwe, także resztę rodzeństwa. Starajcie się zwracać uwagę choćby na najmniejsze oznaki niespodziewanego agresywnego zachowania oraz na inne nietypowe sytuacje, które sprawiają, że kot trzyma się na uboczu lub atakuje bez powodu.

Agresja spowodowana strachem

Gdy kot znajdzie się w groźnej dla niego sytuacji, bywa, że instynktownie zaatakuje. Agresja spowodowana strachem może być skierowana na inne zwierzęta lub ludzi. Odczuwanie strachu jest bardzo względne – to, co dla ufnego kota syjamskiego jest zabawą, u powściągliwego kota perskiego może wywoływać strach. Jeśli wasz kot lubi się bawić, jest przyjacielski i towarzyski z natury, rzadko będzie okazywał agresję lękową w stosunku do innych osób. Jednak nieśmiały i powściągliwy kot może łatwo zrazić się do obcych, którzy będą chcieli go pogłaskać czy wziąć na ręce – może podrapać ich lub pogryźć. Zachowania agresywne, których podłożem jest strach, mogą być spowodowane wieloma przyczynami. Nerwowi i nieśmiali koci rodzice mogą przenosić swoje nastroje na kocięta.

Takie zastraszone zwierzęta będą zwykle obawiały się obcych oraz nieznanego im otoczenia i reagowały agresją.

Pamiętajcie, że nieprawidłowo prowadzona socjalizacja we wczesnym wieku zwierzęcia jest główną przyczyną zachowań aspołecznych. Weźcie też pod uwagę, że koty mają doskonałą pamięć i nie zapominają nieprzyjemnych zdarzeń – wspomnienia również mogą wywoływać agresję lękową.

Gdy koty przejawiają agresję, której podłożem jest strach, okazują to wyraźnie mową ciała. Kulą uszy, poruszają nerwowo ogonem, mają rozszerzone źrenice, zjeżoną sierść na grzbiecie i wyciągają pazury przednich łap. Niektóre, gdy uznają, że nie mają drogi odwrotu, mogą przewracać się na plecy i wymachiwać łapami z wyciągniętymi pazurami, będąc jednocześnie gotowe do ataku w razie potrzeby.

Kocie sprawy: Nie bij!

Nigdy nie bijcie kota, niezależnie od tego, co spsocił, chyba że robicie to we własnej obronie. Bijąc go, zniszczycie wasze wzajemne zaufanie, i zwierzę prawdopodobnie będzie was unikało do końca życia. Bicie jedynie pogłębia istniejące problemy. Istnieje wiele lepszych sposobów pomocnych w korygowaniu zachowania kota.

Jest kilka sposobów zapobiegania agresji spowodowanej strachem lub przynajmniej jej osłabienia.

Przede wszystkim, o czym była już mowa we wcześniejszych rozdziałach, należy bardzo starannie wybrać kota – najlepiej ze sprawdzonej hodowli. Zanim przynie-siecie zwierzę do domu, upewnijcie się, czy nie przejawia zachowań agresywnych i jest przyjazne oraz towarzyskie w stosunku do innych zwierząt i ludzi.

Pamiętajcie o układaniu kota! Przyzwyczajajcie do wy-prowadzania na smyczy, sprawcie, by mieszkanie było dla niego inspirującym i ciekawym miejscem, zapoznawajcie z różnymi dźwiękami i uczcie właściwych zachowań. Po-instruujcie dzieci i innych dorosłych, aby nigdy nie biega-li za kotem bez powodu.

Pozwólcie natomiast nowym osobom karmić kota i ba-wić się z nim. To powinno przyzwyczaić zwierzę do gości i stłumić w nim strach. Upewnijcie się, czy kuweta kota, który jest nieśmiały, ustawiona jest w mało ruchliwym miejscu, niedostępnym zwłaszcza dla obcych. Nieśmiały kot przyłapany w małej łazience na czynnościach fizjolo-gicznych przez osobę, której się boi, może nagle zaatako-wać. Stworzenie kotu bezpiecznych i spokojnych warun-ków życia może pomóc w eliminowaniu agresji lękowej.

Agresja terytorialna

Wiadomo, że koty mają silnie rozwinięty terytorializm. Dzikie koty mają swe terytoria i starają się nie przekraczać wyznaczonych granic. Takie zachowanie pozwala unik-nąć niepotrzebnych konfliktów i zapewnia każdemu zwierzęciu wystarczającą ilość pokarmu.

Koty domowe także wykazują instynkt terytorialny. Bronią swego rewiru z różną siłą, zależnie od pozycji, jaką zajmują w hierarchii i od płci. Terytorializm jest bardziej cechą kocurów niż kotek. W przyrodzie samce konkurują o samicę, co zwykle kończy się agresją. Takie zachowania przejawiają także koty trzymane w domu.

Nawet jeśli wasz kot przebywa wyłącznie w mieszkaniu, może wykazywać oznaki agresji terytorialnej (kastracja kota, zanim ukończy 6. miesiąc życia, może stłumić takie zachowanie).

Mieszkanie jest terytorium kota i większość kotów – nawet te towarzyskie – może okazywać niepokój, gdy do domu przyjdzie obca osoba, inny kot czy pies, nawet jeśli są przyjaźnie nastawione. Pamiętajcie, wasz kot zaakceptował was i całą waszą rodzinę, a także inne znane mu zwierzęta, ponieważ uznaje was za swoich rodziców i rodzeństwo. Kot przejawiający agresję terytorialną będzie syczał, przeganiał i atakował inne obce koty (czasami nawet ludzi), które przekroczą granice jego terytorium.

Takie zwierzę jeży sierść na grzbiecie, pionowo ustawia uszy i nerwowo porusza ogonem.

Agresję terytorialną można osłabić, podobnie jak agresję lękową.

Nigdy nie wybierajcie dominującego i pewnego siebie kocięcia ani takiego, które pilnie strzeże jedzenia lub zabawek. Obserwujcie zachowanie kotki (niech was jednak nie zmyli naturalna u niej chęć ochrony kociąt) i upewnijcie się, że u kocięcia nie zaniedbano socjalizacji.

Wybierając dorosłego kota, wnikliwie obserwujcie jego reakcję na waszą obecność. Czy broni jedzenia i zabawek? Czy ma świeże zadrapania lub rany świadczące o walkach z innymi kotami?

Pamiętajcie, że należy bardzo ostrożnie wprowadzać nowe zwierzę do domu, w którym rezyduje kot. Czasami może przydać się klatka.

Nie zapominajcie, że łatwiej dogadają się ze sobą dwa kocięta czy szczenięta, ewentualnie dwa młode koty niż dorosłe osobniki.

Jeśli wasz wykastrowany kot nadal będzie wykazywał silny instynkt terytorialny i zachowywał się agresywnie, odizolujcie go od innych zwierząt. Skontaktujcie się z lekarzem weterynarii, aby zastosować odpowiednie leczenie farmakologiczne.

Agresja matki

Jeśli kiedykolwiek przygarniecie ciężarną kotkę, musicie wiedzieć, że matka nowo narodzonych kociąt może stać się agresywna. Samice kotów domowych zachowują się podobnie jak większość samic ssaków i zawzięcie bronią swych młodych. Chociaż zdarzają się kotki, które porzucają młode (kocięta takie trzeba karmić butelką ze smoczkiem), to większość jest wspaniałymi matkami, poważnie podchodzącymi do swoich obowiązków. Takie kotki zwykle nie dopuszczają obcych do potomstwa i same decydują, kiedy je pokazać. Właściciel, do którego kotka ma zaufanie, może zwykle dotykać kociąt w obecności kotki, gdy ukończą tydzień lub dwa.

Pocieszające jest, że agresja matczyna nie trwa długo. Zazwyczaj zanika po kilku tygodniach.

Agresja w zabawie

Jak już wiecie, poprzez zabawę kocięta uczą się podkradania i atakowania, wyostrzają swoje zmysły, polepszają koordynację ruchów. Niektóre koty nigdy nie wyrastają z takiego zachowania i demonstrują je w zabawie z człowiekiem. Takie osobniki nie są naprawdę agresywne, lękliwe czy terytorialne, one po prostu bawią się, czasami zbyt ostro. Jeśli podczas takiej zabawy kot was podrapie lub pogryzie, może to świadczyć o problemach z jego zachowaniem.

Kocie sprawy: Środki zaradcze

Chcąc zmienić niepożądane zachowania kota, wszystkie środki zaradcze przedstawione w tym rozdziale należy stosować przez przynajmniej 6 tygodni, aby odniosły skutek. Agresję w zabawie przejawiają zwykle koty młode i niespokojne. Często problemy stwarzają koty samotnie przebywające w domu, które po prostu strasznie się nudzą i chcą się bawić, gdy tylko wrócicie do domu. Można rozwiązać ten problem, kastrując kota oraz zapewniając mu wiele wrażeń, czy też biorąc dwa kocięta, a nie jedno, by nie czuły się osamotnione.

Bądźcie przygotowani, że będziecie musieli korygować zachowanie kota, jeśli okaże się to konieczne. Nauczcie się więc wyprzedzać moment, w którym kot najprawdopodobniej zaatakuje i miejcie w pogotowiu pistolet na wodę, by spryskać zwierzę. Skutkuje także głośne klaśnięcie w dłonie i ostro wypowiedziane „NIE". Nie potrząsajcie jednak kocięciem, ponieważ możecie zrobić mu krzywdę. Nie próbujcie też potrząsać dorosłym kotem, bowiem może was podrapać.

Agresja spowodowana konkurencją

Tak jak w przypadku wszystkich innych zwierząt, także konkurencja między kotami może zakończyć się konfliktem. Zabranie zabawki, smakołyku, a nawet dotyk niekiedy wywołują agresję. Może przerodzić się w nią nawet zwykła zabawa między dwoma kotami o podobnym statusie.

Bywa, że zwierzęta w domu współpracują ze sobą, respektując swoją pozycją w hierarchii. Dominujący kot i osobnik o niższym statusie szybko się uczą, co im wolno, a czego nie. Niższe rangą zwierzę wycofuje się, kiedy dominant ma na coś ochotę. Między dwoma kotami zbliżonymi rangą może natomiast pojawić się agresja, gdy konkurują o zabawki czy waszą uwagę.

Zachowaniom agresywnym między konkurującymi ze sobą kotami również można zapobiegać, nie tylko kastrując zwierzęta. Wystarczy stosować się do poniższych zaleceń.

1. Nie trzymajcie zbyt wielu kotów na niedużej przestrzeni. W mieszkaniu zwykle najlepiej trzymać dwa osobniki. Jeśli macie ich więcej, istnieje ryzyko, że każdy kot będzie miał zbyt małe terytorium, co nie zapewni im komfortu. Pokrywanie się terytoriów może być przyczyną ostrych walk.

2. Pozwólcie kotu funkcjonować zgodnie z ustaloną hierarchią i nie ingerujcie w konflikty, chyba że zwierzęta walczą zbyt ostro.

3. Dajcie kotom dużo zabawek i pozwólcie na szaleństwa. Aby uniknąć konfliktów, każde zwierzę powinno mieć swoją miskę na pokarm i wodę, słupki do drapania czy kuwety.

4. Jeśli koty wyjątkowo silnie konkurują ze sobą, powinny spać w osobnych pomieszczeniach.

5. Karmcie koty w odrębnych pomieszczeniach i podawajcie karmę najpierw kotu dominującemu.

6. Musicie poświęcić czas każdemu kotu. Jednakowo potrzebują waszego zainteresowania i waszej miłości. Ignorowanie jednego osobnika może doprowadzić do konfliktów i agresji.

7. Rozdzielcie koty, gdy agresja przybiera na sile.

Agresja przeniesiona

Czy kiedykolwiek zdarzyło wam się po ciężkim dniu w pracy przyjść do domu i zrobić awanturę bliskim bez powodu? To agresja przeniesiona. Gniew, zawód, poczucie niesprawiedliwości – wszystkie te emocje odczuwa się jednocześnie.

Koty nie stanowią pod tym względem wyjątku. Po stresie, na przykład wskutek szczepienia czy innych nieprzyjemnych doświadczeń, czasami są agresywne w stosunku do swoich właścicieli. Wizyta u lekarza weterynarii jest idealnym pretekstem do okazania w domu agresji, którą określa się jako przeniesioną.

Zwykle ofiary tej agresji starają się okazać zrozumienie. Zdają sobie sprawę, że znalazły się w nieodpowiednim miejscu i czasie i że agresja wkrótce zaniknie. Jeśli przypuszczacie, że kot po przykrych doświadczeniach może zachować się agresywnie, nie próbujcie go głaskać. Nie bierzcie go na ręce, może was bowiem pogryźć lub podrapać. Pozwólcie kotu uspokoić się i poczekajcie, aż sam do was przyjdzie.

Pomijając wszelkie rady podane w tym rozdziale, najlepsze, co możecie zrobić, to zachować spokój. Jeśli wasz kot okazuje agresję przeniesioną, pamiętajcie, że nie jest ona zamierzona i karanie zwierzęcia tylko wzmocni takie zachowania.

Agresja pourazowa

Ból może działać na kota tak samo jak wizyta u lekarza weterynarii i wywoływać u niego agresję. Zwierzę, które okazuje wrogość, gdy jest chore, okaleczone lub cierpi z innej przyczyny, nie zachowuje się złośliwie.

Jeśli dziecko ciągnie kota za ogon lub kot się skaleczył, to powodem jego stresu i poirytowania jest ból. Może wówczas wyładować swój gniew na pierwszej napotkanej ofierze, choćby na was. Poważne choroby, takie jak zapalenie pęcherza czy nerek, padaczka, zapasożycenie, zapalenie stawów lub nowotwory, mogą powodować ból, a w jego następstwie agresję.

Ważne jest, aby kot był zdrowy. Jeśli więc zachoruje albo się zrani, musicie podjąć odpowiednie decyzje, które postawią go na nogi, niezależnie, czy mu się to podoba, czy nie.

Postępujcie według wskazówek lekarza weterynarii i zapewnijcie kotu dużo spokoju oraz poczucie bezpieczeństwa. Rozważcie ograniczenie przebywania kota tylko do jednego pomieszczenia, gdzie będzie mógł spokojnie wracać do zdrowia. Chrońcie go przed zranieniami i nie narażajcie na stresy, aby nie wywołać u niego agresji. Jeśli kot jest podenerwowany, nie pozwólcie, aby obce osoby i zwierzęta zakłócały mu spokój.

„Kąsanie ręki, która karmi"

Czasem koty, które zwykle lubią być głaskane, niespodziewanie zaczynają drapać i gryźć. Wydaje się, że po prostu odczuwają przesyt pieszczot, a nie złość, i to jest przyczyną takiego ich zachowania. W ten sposób chcą nam pokazać „na razie mam dosyć głaskania, ale za sekundę lub dwie, być może, znowu nabiorę na nie chętki. Tymczasem wystarczy, że trzymasz mnie na kolanach". Jeśli kot okazuje ten rodzaj agresji, ograniczcie głaskanie go i szczotkowanie sierści do minuty i zawsze skończcie wykonywaną przy nim czynność, zanim stanie się rozdrażniony.

Starajcie się zrozumieć mowę ciała kota: jeśli będzie nerwowo poruszał ogonem, kulił uszy i wyprężał grzbiet, to przerwijcie głaskanie lub szczotkowanie i pozwólcie mu odejść.

Przyzwyczajcie kota do określonych pór karmienia, nagradzajcie smakołykami po każdym głaskaniu czy szczotkowaniu.

Jeśli kot jest wyjątkowo nieśmiały lub nieprzewidywalny, nie dotykajcie go, dopóki sam do was nie przyjdzie i nie zacznie się ocierać.

 Kocie sprawy: Kiedy szukać pomocy

Niewłaściwe zachowania kotów mogą być spowodowane różnymi przyczynami, czasami tak banalnymi, jak nieodpowiednia dieta, a niekiedy skomplikowanymi, jak nieprawidłowo prowadzona socjalizacja. Jeśli po zastosowaniu porad zamieszczonych w tym rozdziale wasz kot nadal stwarza problemy wychowawcze, skontaktujcie się z lekarzem weterynarii. Nim znajdzie on rozwiązanie, konieczne będzie przeprowadzenie szczegółowych badań.

Zdrowie kota
i pierwsza pomoc

K ota można uchronić przed wieloma poważnymi schorzeniami w dość prosty sposób. Wystarczy zachować środki ostrożności i odpowiednio przygotować się na wypadek choroby czy okaleczeń. Jako właściciele kota jesteście odpowiedzialni za jego bezpieczeństwo i zdrowie. Powinniście więc wiedzieć, co zrobić, gdy zwierzę się skaleczy i kiedy trzeba zabrać je do lekarza weterynarii. W rozdziale tym omówiono zagadnienia związane z profilaktyką, udzielaniem pierwszej pomocy w nagłych przypadkach i zapobieganiem wypadkom.

WYBÓR LEKARZA WETERYNARII
Wybór lekarza weterynarii to bardzo poważna decyzja, dlatego należy ją podjąć, zanim u waszego pupila pojawią się problemy zdrowotne lub wymusi ją nagły przypadek. Wybierając lekarza, powinno się rozważyć kilka aspektów.

Lokalizacja i czas pracy lecznicy: Najlepiej znaleźć lecznicę blisko miejsca zamieszkania, choć może to okazać się trudne. Sprawdźcie, czy godziny jej otwarcia umożliwiają przyjście z kotem po pracy.

Pomoc w nagłych przypadkach: Należy upewnić się, czy lekarz udzieli pomocy kotu o dowolnej porze ewentualnie wskaże najbliższą lecznicę całodobową.

Przystępne ceny: Dla dużej grupy właścicieli kotów pieniądze nie odgrywają roli, gdy chodzi o zdrowie ich ulubieńców. Należy jednak liczyć się z tym, że koszty leczenia mogą być bardzo wysokie. Pamiętajcie o tym, podejmując decyzję. Unikajcie bardzo drogich lecznic weterynaryjnych, tanie też bywają dobre.

Sprawna organizacja: Gabinet lekarski powinien być czysty, dobrze wyposażony, a personel medyczny odpowiednio przygotowany i uprzejmy. Unikajcie lecznic, które sprawiają wrażenie źle zorganizowanych, a pracownicy są nieuprzejmi.

Łatwość nawiązywania kontaktów: Lekarz weterynarii powinien nie tylko wysłuchać właścicieli zwierząt i porozmawiać z nimi, ale także mieć cierpliwość do ich ulubieńców i umieć nawiązać z nimi kontakt. Unikajcie lekarzy, którzy są nazbyt energiczni, niemili lub po prostu was zbywają. Wybierzcie takiego, który ma dużą wiedzę, jest uprzejmy i szczerze interesuje się zdrowiem waszego kota. Jeśli nie jesteście przekonani do lekarza, lepiej wybrać innego.

Obecność podczas zabiegu: Pomijając zabiegi chirurgiczne, w pozostałych przypadkach lekarz powinien zezwolić wam na obecność podczas badania zwierzęcia.

Wiedza: Wybierzcie lekarza, który stale pogłębia swoją wiedzę medyczną i stara się w swej praktyce korzystać z najnowszych doświadczeń w tej dziedzinie. Wystrzegajcie się natomiast takiego, który stosuje wyłącznie stare, wypróbowane metody leczenia. Idealny lekarz to taki, który wykona lub zaleci wykonanie pełnego zestawu badań i skieruje do specjalisty, gdy będzie to konieczne.

Najpóźniej w ciągu tygodnia po przyniesieniu zwierzęcia do domu należy udać się z nim do lekarza. Podczas pierwszej wizyty lekarz prawdzi ogólny stan zdrowia, przebada pod kątem chorób zakaźnych i zaszczepi zwierzę. Jest to także okazja do nawiązania przyjaznych stosunków z nowym pacjentem.

Lekarz najprawdopodobniej będzie także chciał zbadać próbki kału kota!

Jak znaleźć właściwego lekarza

Istnieje kilka sposobów znalezienia dobrego lekarza weterynarii. Oczywiście, można wziąć książkę telefoniczną i odszukać w niej adres najbliższego lekarza weterynarii, tyle że nic o nim nie będziemy wiedzieć. Lepszym sposobem jest poproszenie przyjaciół lub znajomych, aby polecili wam lekarza. Możecie uzyskać także pomoc w schronisku dla zwierząt, z którego wzięliście kota. Są tam setki zwierząt potrzebujących czasami pomocy weterynaryjnej, więc personel na pewno niejednokrotnie z niej korzystał. Jeśli macie kota z hodowli, to z pewnością hodowca poleci wam lekarza, który, być może, przypadkiem ma gabinet niedaleko waszego miejsca zamieszkania.

BADANIA KONTROLNE

Przynajmniej raz w roku należy udać się z kotem do lekarza, aby zbadać ogólny stan zdrowia zwierzęcia. Podczas wizyty kontrolnej lekarz:
- zbada kota od czubka nosa po koniec ogona;
- sprawdzi, czy nie ma pasożytów oraz guzków na ciele i obrzęków, zmian skórnych i owrzodzeń;
- zważy kota i sprawdzi temperaturę jego ciała;
- osłucha płuca i serce;

- sprawdzi, czy nie ma nietypowych wycieków z oczu i nosa;
- zbada stan uzębienia i dziąsła, zapach z pyszczka (nieprzyjemny zapach często może sygnalizować chorobę), uszy;
- zbada, czy narządy wewnętrzne nie są powiększone i zainfekowane;
- zbada elastyczność skóry, by przekonać się, czy zwierzę nie jest odwodnione.

Lekarz może także pobrać próbki kału (albo poprosi was o ich przyniesienie podczas umawiania wizyty), aby sprawdzić, czy kot nie jest zainfekowany pasożytami wewnętrznymi. Jeśli istnieje podejrzenie choroby, lekarz weterynarii może także pobrać krew i mocz do analizy.

W czasie wizyty lekarz zaleca niezbędne szczepienia lub ich powtórzenie. Kocięta szczepi się po raz pierwszy, gdy ukończą 8–10 tygodni życia, ponownie po miesiącu, a następnie raz do roku. Niektóre szczepienia należy powtarzać co 3 lata, inne rokrocznie. Część z nich jest dowolna, a część obowiązkowa. Cykl szczepień przeciwko wściekliźnie jest odmienny. Kocięta szczepi się po raz pierwszy około 3. miesiąca życia, a następnie po upływie roku (w niektórych krajach, poza Polską, szczepionka jest podawana co 3 lata). Ustalając cykl szczepień, bierze się pod uwagę wiek kota, możliwość kontaktów z innymi kotami, jak również to, czy wychodzi z mieszkania.

ZAPOBIEGANIE ZAPASOŻYCENIU

Koty mogą nabawić się pasożytów poprzez kontakt z zarażonymi odchodami, pokarmem, a nawet wodą. Pasożyty mogą być przenoszone także przez pchły. Koty często zarażają się pasożytami wewnętrznymi, zjadając zarażone myszy.

Koty, które wychodzą z mieszkania, mogą zarazić się pasożytami. To kolejny powód, dla którego nie powinno się zezwalać zwierzęciu na opuszczanie mieszkania.

Jeśli wybieracie się z kotem w rejony, gdzie jest ciepło i wilgotno, zwierzę narażone jest na infekcję obleńcami pasożytującymi w sercu. Skontaktujcie się z lekarzem weterynarii, który może przepisać leki; podaje się je raz w miesiącu.

 Kocie sprawy: Bezpieczne i czyste otoczenie

Utrzymanie czystości w mieszkaniu, w którym nie ma niebezpiecznych przedmiotów czy substancji, to najprostszy sposób ochrony kota przed infekcjami, zatruciami czy zranieniami. Sprzątajcie mieszkanie w celu pozbycia się zarodników chorobotwórczych, usuńcie trujące rośliny doniczkowe i niebezpieczne substancje chemiczne, czyśćcie kuwetę oraz miski na pokarm i wodę, aby nie dopuścić do infekcji bakteryjnych. Należy także strzec kota przed innymi agresywnymi zwierzętami, nawet jeśli są to również zwierzęta domowe.

Pasożyty zewnętrzne, takie jak pchły i kleszcze, występują szczególnie licznie w ciepłych miesiącach roku. Nawet koty trzymane wyłącznie w mieszkaniu mogą cierpieć z powodu pasożytów zewnętrznych. Mogą się one dostać do mieszkania wraz z innymi zwierzętami, a nawet wy możecie je przynieść. Aby uniknąć inwazji pcheł i kleszczy, należy:

1. Założyć kotu obrożę przeciw pchłom i kleszczom (nie wolno jej stosować u kociąt, bowiem może być

dla nich toksyczna). Zawsze upewnijcie się, czy produkty są przeznaczone dla kotów.

2. Sprawdzać codziennie sierść kota na obecność pasożytów. W czasie infekcji zaleca się stosowanie przepisanych przez lekarza weterynarii środków przeciw pchłom i kleszczom (nie wolno ich stosować w przypadku kociąt), dostępnych w proszku lub aerozolu. Jeśli znajdziecie w sierści kota choćby jedną pchłę, wykąpcie go w zaleconym przez lekarza weterynarii szamponie przeciw pchłom.

3. Poradzić się lekarza, jakiego środka najlepiej użyć w mieszkaniu, aby wraz ze środkami zastosowanymi u kota doprowadził do całkowitego wyeliminowania pasożytów zewnętrznych (pamiętajcie, że dzieci, kobiety w ciąży, osoby w podeszłym wieku oraz z problemami oddechowymi mogą źle reagować na te środki). Zaleca się u kotów miejscowe stosowanie środków przeciw pchłom i kleszczom raz w miesiącu.

ZABAWA I OPIEKA

Bawiąc się z kotem lub go głaszcząc, można zwierzę przy okazji zbadać. Podczas tych czynności sprawdzamy:

Sierść: Jeśli sierść jest sucha i wypada, może to wskazywać na niedobory pokarmowe, alergię skórną, grzybicę, odwodnienie czy obecność pasożytów. Sucha zaczerwieniona skóra może świadczyć również o alergii, obecności pasożytów i odwodnieniu. Strupki i owrzodzenia to często oznaka zapalenia skóry, niedoborów pokarmowych, a także obecności pasożytów.

Obecność guzków lub obrzęków: Guzki i obrzęki mogą wskazywać zarówno na zmiany nowotworowe, jak i urazy. Obrzmiała okolica brzucha często świadczy o zapaleniu żołądka lub zarażeniu pasożytami. Przepełniony pęcherz moczowy bywa oznaką niedrożności dróg moczowych spowodowanej zaleganiem w nich kamieni moczowych. Powiększone węzły chłonne mogą wskazywać na infekcję lub chorobę nowotworową.

Zapach z pyszczka: Nieprzyjemny zapach z pyszczka to zwykle skutek zapalenia żołądka, chorób nowotworowych, problemów z nerkami oraz cukrzycy.

Stan zdrowia zębów i dziąseł: Jeśli dziąsła są jasne lub białe, może to oznaczać anemię, a nawet poważniejsze schorzenia. Badając pyszczek kota, sprawdźcie jego zęby, czy nie są uszkodzone i czy nie osadził się na nich kamień, często bowiem może to być przyczyną paradontozy.

Stan zdrowia kończyn i ogona: Kot powinien swobodnie poruszać kończynami, bez uczucia bólu. Poruszajcie nimi, aby sprawdzić, czy nie ma na nich ran i czy ruch nie sprawia kotu bólu, jak przy zapaleniu stawów. Zgięty ogon może być skutkiem uszkodzenia kręgów w miejscu załamania.

Stan zdrowia poduszeczek i pazurów: Zdrowe poduszeczki nie powinny mieć oznak zranienia, ani wbitych ciał obcych, a pazury nie powinny być połamane. Wbity w poduszeczkę kolec sprawia kotu tak silny ból, że zwierzę kuleje, ponadto stwarza zagrożenie infekcją. Przerośnięte pazury mogą wpływać na zachowanie kota. Często są przyczyną zniszczonych mebli.

Stan zdrowia narządów rodnych: U zdrowych zwierząt nie obserwuje się wypływów z pochwy czy penisa ani z odbytu. Ich obecność może świadczyć o stanie zapalnym pęcherza moczowego, chorobie nerek, ropomaciczu, zarażeniu pasożytami, zapaleniu gruczołów okołoodbytowych i innych schorzeniach.

Oględziny kota powinny przebiegać sprawnie i szybko. Nie powinny być dla niego przykre. Po ich zakończeniu należy zwierzę nagrodzić, a szybko polubi wszystkie te czynności wykonywane wokół niego.

OBSERWOWANIE ZACHOWANIA KOTA

Każda, nawet najmniejsza, zmiana w zachowaniu kota może wskazywać na problemy zdrowotne. Bacznie zatem obserwujcie swego pupila, by móc zareagować, gdy będzie to konieczne. Należy zwracać uwagę na:

Częstość oddawania moczu: Jeśli kot nagle zacznie oddawać mocz i kał częściej lub rzadziej niż zwykle, niechybnie oznacza to problemy zdrowotne. Biegunka, zatwardzenie i niekontrolowane oddawanie moczu mogą być objawami różnych schorzeń, jak: cukrzyca, zatrucie pokarmowe, zapalenie żołądka, choroby nerek i wątroby, alergia, niedrożność przewodu pokarmowego, kamienie w nerkach lub pęcherzu moczowym, zapalenie cewki moczowej, zarażenie pasożytami, infekcje wirusowe lub bakteryjne, nowotwory i niedobory pokarmowe.

Kot, który często odwiedza kuwetę i nie oddaje moczu lub zaledwie niewielkie jego ilości, może mieć niedrożne drogi moczowe i wymaga leczenia.

Sposób oddawania moczu: Jeśli kot podczas oddawania moczu odczuwa ból, może to wskazywać na kamienie moczowe, infekcję, nieprawidłową dietę lub inne problemy zdrowotne. Miauczenie bądź kołysanie się z boku na bok podczas oddawania moczu świadczy o złym samopoczuciu kota i powinien obejrzeć go lekarz weterynarii.

Ilość moczu: Znaczne zmniejszenie lub zwiększenie ilości oddawanego moczu może wskazywać na zapalenie nerek lub pęcherza moczowego, cukrzycę, niedrożność cewki moczowej lub poważną infekcję. Wzmożone oddawanie moczu może prowadzić do odwodnienia organizmu. Zmienne ilości oddawanego moczu zwykle są spowodowane infekcją, nowotworami, zapaleniem żołądka, zatruciem pokarmowym i innymi przyczynami.

Konsystencję kału: Kał zdrowego kota powinien być ciemnobrązowy i twardy. Jeśli stolec kota jest luźny lub czarny (świadczy o krwotoku w żołądku lub jelicie cienkim), oznacza to problemy zdrowotne. Krew w kale wskazuje na hemoroidy lub krwotok w jelicie grubym. Jeżeli kot zarażony jest pasożytami wewnętrznymi, to można je zobaczyć w kale. Zwykle obserwuje się człony tasiemców.

Kolor moczu: Jeśli mocz kota jest ciemno-, a nie jasnożółty, może to wskazywać na odwodnienie organizmu lub nieprawidłową ilość filtrowanego moczu, co może być skutkiem chorób nerek. Bardzo jasny, prawie bezbarwny mocz bywa oznaką wzmożonego pragnienia wywołanego gorączką lub cukrzycą bądź innym schorzeniem.

Zapach odchodów: Zwracajcie uwagę na zapach odchodów. Wyjątkowo przykra woń może wskazywać na złą dietę lub zatrucie. Nieprzyjemny zapach moczu bywa natomiast oznaką cukrzycy lub niewłaściwej diety.

Miejsce oddawania moczu: Unikanie kuwety jest typowym objawem problemów związanych z niewłaściwym zachowaniem kota (patrz rozdział 9.), ale może także wskazywać na problemy zdrowotne. Gdy kot źle się czuje, często chce być sam i szuka miejsca, gdzie mógłby się schować do czasu, aż poczuje się lepiej. Czasami (na przykład wskutek obecności pasożytów czy poważnych infekcji) zwierzę nie może powstrzymać się przed oddawaniem kału. Wszystkie te przyczyny powodują, że załatwia się w mieszkaniu w kilku miejscach.

ODPOWIEDNIA ILOŚĆ RUCHU

Koty potrzebują odpowiedniej ilości ruchu, podobnie jak my. Uwielbiają biegać tam i z powrotem, co zapewnia ruch mięśniom. To z kolei przyczynia się do intensywniejszej pracy serca i płuc. Koty niektórych ras są bardziej aktywne niż inne. Właściciele kotów abisyńskich i syjamskich na pewno życzyliby sobie, aby ich pupile byli nieco spokojniejsi. Jeśli jesteście właścicielami kotów ras mniej aktywnych, jak perskie czy egzotyczne, sporo będziecie musieli się natrudzić, aby zmusić je do większej aktywności.

Kocie sprawy: Odpoczynek

O ile aktywność ruchowa jest niezbędna dla zachowania kondycji i sprawności kota, o tyle wypoczynek jest podstawą dobrego zdrowia zwierzęcia. Wypoczęte koty są szczęśliwsze i zdrowsze niż te, którym nie umożliwiono odpowiedniej ilości snu. Koty, zwłaszcza kocięta, wymagają zwykle ponad 14 godzin snu dziennie, aby zachować sprawność, czujność i dobre zdrowie. Nie przerywajcie drzemki waszemu kotu, chyba że zapadł w nią w niebezpiecznym miejscu!

Otyłość źle wpływa na zdrowie kota. Upewnijcie się, czy wasz pupil ma odpowiednią ilość ruchu, aby spalić nadmiar kalorii.

Bawcie się z nim, rzucając piłeczkę albo inne zabawki, za którymi będzie biegał (jest to skuteczny sposób zmuszania kota do poruszania się, ponieważ bazuje na jego naturalnym instynkcie łowieckim) i od najmłodszego wieku przyzwyczajajcie do spacerów na smyczy.

Komendy można wydawać nie tylko psom. Poza komendą „do mnie" można kota nauczyć wielu innych, jak „obrót", „hop", „piłka" (gdy bawcie się z nim piłką) czy „przewrót". Podczas nauki najważniejsze jest pozytywne wzmacnianie poprzez chwalenie i nagradzanie zwierzęcia za każdym razem, gdy wykona prawidłowo komendę. Pamiętajcie też o korzyściach trzymania dwóch kotów zamiast jednego. Dozgonni przyjaciele będą się bawić, urządzając gonitwy, nawet gdy będą już dorosłymi osobnikami.

PODAWANIE LEKÓW

Niekiedy kot może być trudnym pacjentem, zwłaszcza gdy trzeba podać mu lekarstwo. Nie martwcie się, z czasem nabierzecie wprawy i czynność ta okaże się w miarę prosta. Poniżej podano kilka rad, jak podać kotu tabletkę.

1. Trzymajcie tabletkę w jednej ręce, między palcem wskazującym a kciukiem.

2. Drugą ręką przytrzymajcie głowę kota od tyłu; kciuk i palec wskazujący, którymi przytrzymujecie tabletkę, umieśćcie w kąciku pyszczka i zagnijcie je delikatnie.

3. Przechylcie głowę kota do tyłu, tak by jego nozdrza były ustawione pionowo, i otwórzcie pyszczek zwierzęcia.

4. Szybko umieśćcie tabletkę głęboko na języku.

5. Zamknijcie kotu pyszczek i przytrzymajcie przez kilka sekund, jednocześnie masując podgardle, aby zwierzę przełknęło tabletkę. Dopomóc w tym może dmuchnięcie kotu w nos.

Jeśli podanie kotu tabletki sprawia wam problem, możecie ją rozkruszyć i zmieszać z pokarmem zwierzęcia (oczywiście, nie należy mieszać leku z suchą karmą). Możecie spróbować podawać kotu lekarstwo w postaci zawiesiny za pomocą strzykawki (oczywiście bez igły).

Sygnały ostrzegawcze

Oprócz omówionych objawów chorobowych mogą wystąpić inne, o których należy poinformować lekarza. Należą do nich:

- temperatura ciała ponad 39,5°C;
- biegunka lub wymioty towarzyszące gorączce bądź innym objawom;
- silne odwodnienie; możecie się o tym przekonać, odciągając i puszczając skórę na grzbiecie kota. Jeśli powrót skóry do jej zwykłego położenia trwa długo, świadczy to o odwodnieniu organizmu;
- osowiałość, utrata apetytu i masy ciała;
- nieprzyjemny zapach z pyszczka oraz wzmożone pragnienie;
- kaszel lub kichanie, którym towarzyszy gorączka;
- powłóczenie nogami, odczuwanie bólu w kończynach lub kręgosłupie;
- guzki oraz miejsca obrzmiałe, bolące i ciepłe albo krwawiące i ropiejące;
- jasne dziąsła oraz osowiałość, którym może towarzyszyć brak apetytu i gorączka;
- utrudnione oddawanie moczu, co może być niebezpieczne dla życia kota.

Natychmiast należy skontaktować się z lekarzem weterynarii, jeśli wasz kot będzie zdradzał jeden z poniżej podanych objawów:

- temperatura ciała powyżej 39,5°C;

- temperatura ciała poniżej 38°C (koty dorosłe) lub 38,5°C (koty młode), której towarzyszy krótki oddech, osowiałość i brak apetytu;
- całkowity lub częściowy paraliż;
- oznaki zatrucia oraz trudności w oddychaniu, osowiałość, wymioty i biegunka;
- krwawiące rany;
- owrzodzenia, którym towarzyszy gorączka;
- uraz spowodowany atakiem innego zwierzęcia lub człowieka;
- zanik oddechu i omdlenie;
- złamanie kończyny oraz uraz oka;
- krwista biegunka lub wymioty.

Kocie sprawy: Prowadzenie dziennika

Prowadźcie dziennik medyczny, w którym będziecie zapisywać informacje o szczepieniach, a także o przebytych chorobach kota, okresie ich trwania i zastosowanym leczeniu. Ponadto notujcie nazwy leków podanych waszemu pupilowi, ich skuteczność i i działania niepożądane, jeśli takie wystąpiły. Zapiski te mogą pomóc wam i lekarzowi zdiagnozować chorobę, przewlekłe schorzenia czy alergię.

Czasami objawy choroby mogą być prawie niezauważalne, zwracajcie więc uwagę na wszelkie oznaki braku apetytu, pojawiającą się od czasu do czasu kulawiznę, zmiany w aktywności dobowej kota, zbyt intensywne wylizywanie sierści lub jego brak, nieustanne miauczenie czy poirytowanie. Wy najlepiej znacie waszego czworonoga i potraficie ocenić zmiany w jego zachowaniu. Jeśli dostrzeżecie choćby najmniejsze odstępstwa w zachowaniu zwierzęcia i będziecie mieć jakiekolwiek wątpliwości, skontaktujcie się z lekarzem weterynarii.

MIERZENIE TEMPERATURY

Większość kotów nie lubi mierzenia temperatury, niestety, jest to często istotne, aby stwierdzić chorobę.

Koniec termometru umyjcie z wodą mydłem, następnie opłuczcie starannie i strząśnijcie słupek rtęci poniżej 38°C. Posmarujcie koniec termometru wazeliną i wprowadźcie jej trochę do odbytu kota. Następnie niech zaufana osoba postawi kota na stole, uniesie jego ogon i włoży delikatnie koniec termometru do odbytu. Pamiętajcie, aby nie pozwolić kotu usiąść, bowiem może stłuc koniec termometru. Trzymajcie termometr przynajmniej przez minutę. Jeśli temperatura ciała kota (dorosłego) waha się między 38 a 39,5°C, oznacza to, że zwierzę jest zdrowe.

Kocie sprawy: Pierwsza pomoc

Jak podano w rozdziale 5., należy mieć odpowiednio wyposażoną apteczkę pierwszej pomocy, aby móc z niej skorzystać w nagłych wypadkach lub w sytuacjach, które nie wymagają interwencji lekarza weterynarii. Jeśli już macie apteczkę, wyposażcie ją w dodatkowe opakowania gazy i bandaże, i umieśćcie w widocznym, łatwo dostępnym miejscu.

RANY I ZADRAPANIA

Samemu można leczyć małe rany, natomiast rany głębokie czy krwawiące (wskutek uszkodzenia dużych naczyń krwionośnych) lub powstałe w wyniku poparzenia oraz otwarte złamania bądź pogryzienia powinien niezwłocznie obejrzeć lekarz weterynarii. Zanim dotrzecie ze zwierzęciem do lecznicy, dobrze jest je opatrzyć.

Zadraśnięcia, które spowodowały uszkodzenie skóry (zazwyczaj dotyczy to opuszek łapek), należy przemyć środkiem odkażającym, a następnie posmarować maścią antybiotykową (przepisaną przez lekarza weterynarii). Postarajcie się zająć czymś kota przez kilka minut, aby maść mogła wniknąć do rany i nie została przez zwierzę wylizana.

Bandażowanie nie jest w tym przypadku konieczne, po prostu przemywajcie zadraśnięte miejsce dwa razy dziennie, zanim nie zacznie się goić i minie zagrożenie infekcją.

Po każdorazowym przemyciu rany smarujcie ją maścią antybiotykową. Jeśli pojawią się jakiekolwiek oznaki infekcji, skontaktujcie się z lekarzem.

W większości przypadków miejsce rozcięcia skóry szybko przestaje krwawić. Rozcięcia głębokie, które nie przestają krwawić w ciągu 5 minut, wymagają obejrzenia przez lekarza weterynarii. Zanim dotrzecie do lecznicy, możecie próbować zatamować krwawienie, stosując opatrunek uciskowy bezpośrednio na ranę. Możecie także zmniejszyć krwawienie, uciskając ręką ranę, na którą przedtem założyliście opatrunek z gazy.

Przyłóżcie do rany gazę i mocno obwiążcie bandażem. Ucisk spowoduje, że uszkodzone naczynie krwionośne szybko się zamknie i krwawienie zostanie zatamowane.

Gdy poranione są kończyny lub ogon, obandażujcie je tak, by bandaż kończył się poniżej skaleczenia. Zapobiegnie to opuchliźnie. Jeśli zraniona jest część ciała, której nie da się obandażować, zastosujcie bezpośrednio na ranę opatrunek uciskowy z gazy, który przytrzymacie ręką. Po 10 minutach sprawdźcie, czy rana nadal krwawi.

Kocie sprawy: Pęcherzyki powietrza oznaczają kłopoty

Zwracajcie uwagę na wszelkie rany klatki piersiowej kota. Jeśli zauważycie w nich pęcherzyki powietrza, może to wskazywać na przebicie płuc. Tak poważny uraz wymaga natychmiastowej interwencji lekarza. Prawdopodobnie konieczny będzie zabieg chirurgiczny.

Opatrunek

Niektóre rany wymagają założenia opatrunku na kilka dni. Owińcie zranione miejsca na kończynach i ogonie gazą, a następnie umocujcie ją za pomocą plastra (taki opatrunek powinien być równie skuteczny, jak bandażowanie rany). Zmieniajcie opatrunek przynajmniej raz dziennie lub wtedy, gdy kot sam go zniszczy, co niestety często się zdarza. Rany na plecach lub brzuchu można zabezpieczyć, owijając tułów kota szerokim bandażem lub chustą trójkątną, której końce spina się agrafką bądź przymocowuje do siebie plastrem. Również na rany na szyi można założyć opatrunek i umocować go za pomocą chusty. Lekarz weterynarii powinien obejrzeć rany i zdecydować o sposobie ich zabezpieczenia.

OPATRYWANIE ZŁAMAŃ

Zwichnięcia lub naderwanie mięśni zwykle nie wymagają bandażowania, należy jednak przez kilka dni ograniczyć kotu możliwość ruchu. W przypadku poważnego zwichnięcia lub złamania kończyny konieczne jest jej unieruchomienie. Możecie w tym celu wykorzystać płaskie deseczki, kije, sztywną tekturę lub inne twarde przedmioty. Jedna osoba powinna przytrzymać kota, a druga ostrożnie owinąć chorą nogę watą lub ligniną i opatrunek umocować plastrem. Następnie delikatnie przyłóżcie usztywnienia do opatrzonej nogi i owińcie plastrem. Upewnijcie się, czy dobrze opatrzyliście kończynę, aby nie doszło do infekcji i natychmiast zawieźcie kota do lecznicy.

OPASKA UCISKOWA

Jeśli rana nadal krwawi, mimo owinięcia bandażem elastycznym, należy zastosować opaskę uciskową, zanim dotrzecie do lekarza. Nigdy jednak nie stosujcie jej bez potrzeby, może to spowodować przerwanie dopływu krwi, a w następstwie martwicę tkanek. W poważnych przypadkach konieczna jest wówczas amputacja kończyny lub ogona.

 Kocie sprawy: Badanie pulsu

Częstość uderzeń serca najłatwiej sprawdzić u kota po wewnętrznej stronie tylnych kończyn, w pobliżu pachwiny. W tym miejscu jest dobrze wyczuwalna tętnica udowa. Liczcie wyczuwalne impulsy przez 15 sekund, a następnie pomnóżcie wynik przez cztery, aby uzyskać liczbę uderzeń serca w ciągu minuty.

Przewiążcie miejsce nad raną sznurem, pończochą, paskiem lub jakimkolwiek materiałem. Zacisk nie powinien być zbyt mocny, bowiem może to być przyczyną komplikacji. Należy poluzowywać go co 10 minut, aby krew mogła dotrzeć do tkanek poniżej rany. Następnie ktoś powinien zawieźć was i kota do najbliższej lecznicy całodobowej.

WYPADKI DROGOWE

Za każdym razem, gdy kot wykradnie się z domu, należy liczyć się z tym, że może zostać potrącony przez samochód. Pamiętajcie, że zwierzę będzie potrzebowało waszej pomocy bardziej niż kiedykolwiek, zwłaszcza jeśli zostanie poważnie okaleczone. Zachowajcie spokój i działajcie rozważnie.

Natychmiast oceńcie obrażenia kota. Czy jest przytomny? Czy krwawi? Czy ma złamane kończyny? Ocena obrażeń jest niezbędna do podejmowania kolejnych decyzji i udzielenia pomocy. Pamiętajcie, że kot może mieć poważne obrażenia wewnętrzne, które na zewnątrz mogą być niewidoczne.

Zostańcie z kotem i wezwijcie pomoc. Kierowca samochodu lub jakakolwiek inna osoba może mieć telefon komórkowy, z którego zadzwońcie po pomoc. Jeśli kierowca ucieknie (co często się zdarza) i nie ma nikogo w pobliżu, krzyczcie, aby zwrócić na siebie uwagę.

Unieruchomcie kota. Nie przenoście poważnie poranionego kota, jeśli nie jest to konieczne. Przenoszenie mogłoby tylko pogorszyć jego stan w przypadku uszkodzenia kręgosłupa. Jeśli kot chodzi w kółko, powstrzymajcie go i nawet związcie, gdy będzie taka potrzeba. Wasz pupil może być w szoku, niewykluczone więc, że będzie drapał i gryzł, ale nie jest to wygórowana cena za uratowanie mu życia. Aby zabezpieczyć się przed niespodziewaną reakcją przytrzymywanego kota, nałóżcie rękawice. Można także narzucić na zwierzę koc lub ręcznik, a następnie je przytrzymać. Za żadną cenę nie pozwólcie mu uciec. Umieszczenie kota w klatce transportowej to najlepsze rozwiązanie, które umożliwia unieru-

chomienie zwierzęcia i zapewnienie mu spokoju. Dobrze
jest wyłożyć transportówkę kocem, aby kotu było ciepło
i wygodnie.

Przenoście kota ostrożnie i powoli. Jeśli koniecznie
musicie przenieść kota, ułóżcie jego głowę w zgięciu waszego łokcia, a resztę ciała – na przedramieniu. Wolną ręką przytrzymujcie zwierzę, aby nie osunęło się z waszych
ramion.

CO ROBIĆ, GDY KOT JEST W SZOKU

Z szokiem mamy do czynienia wówczas, gdy do narządów nie dociera odpowiednia ilość krwi i tlenu. Często
jest to spowodowane nagłym spadkiem ciśnienia krwi na
skutek dużej jej utraty (krwotok wewnętrzny lub ze-
wnętrzny). Jeśli szybko się nie zareaguje, wstrząs może
skończyć się śmiercią kota. Oznakami wstrząsu (szoku) są:

- słaby puls; często może być niewyczuwalny, nawet
  jeśli serce pracuje;
- niewłaściwa temperatura ciała; kończyny i uszy kota
  mogą być bardzo zimne;
- bardzo jasne lub białe dziąsła, co wskazuje na nieprawidłowe krążenie krwi; jeśli dziąsła są białe, oznacza
  to, że mózg jest niedotleniony;
- osowiałość, brak reakcji na bodźce i błędny wzrok;
  kot może robić wrażenie „nieobecnego", a nawet za-
  paść w śpiączkę.

Każdy kot z oznakami wstrząsu powinien być jak najszybciej obejrzany przez lekarza weterynarii. Zwłoka może okazać się fatalna w skutkach. Zanim dotrzecie do lekarza, należy kota trzymać w cieple.

ZAGROŻENIA ZE STRONY INNYCH ZWIERZĄT

Wasz kot może zostać poważnie poraniony przez inne zwierzęta, a nawet zginąć na skutek odniesionych ran. Jest narażony także na zakażenie chorobami zakaźnymi, np. wścieklizną. Jeśli wasz pupil został zaatakowany przez inne zwierzę lub człowieka, natychmiast zabierzcie go do lekarza, bowiem okaleczenia mogą okazać się poważne. Aktualne szczepienia mogą zabezpieczyć kota przed niektórymi chorobami, więc nie wolno o nich zapominać!

Jeśli kot odniesie rany na skutek pogryzień, oczyśćcie je i właściwie zabezpieczcie. Takie rany łatwo ropieją, należy je więc dokładnie przemyć środkiem odkażającym. Prawdopodobnie niezbędne będzie zastosowanie antybiotyków. Poważne okaleczenia, zadrapania czy głębokie rany wymagają założenia szwów.

Jeżeli kot walczył z innymi zwierzętami, sprawdźcie jego pyszczek, czy nie ma przypadkiem złamanych lub wybitych zębów. Złamane zęby wymagają interwencji lekarza weterynarii.

Ukąszenia węży i użądlenia owadów

Chociaż zdarza się to bardzo rzadko (niektóre koty polują na węże), niekiedy koty mogą zostać ukąszone przez żmiję. Jeśli widzieliście całe zdarzenie, załóżcie kotu powyżej ukąszenia opaskę uciskową (chyba że został ukąszony w pyszczek lub tułów) i natychmiast udajcie się z nim do lekarza.

Wprawdzie użądlenia owadów mogą być bolesne i powodować opuchliznę, ale rzadko są dla kota śmiertelne, chyba że jest uczulony lub został użądlony przez wiele pszczół, os czy szerszeni.

Ukąszenia skorpionów czy ptaszników nie zagrażają kotom w Polsce, chyba że ich właściciele hodują te bezkręgowce w domu.

Jeśli kot zostanie użądlony, postarajcie się usunąć żądło i przemyjcie użądlone miejsce, a następnie przyłóżcie coś zimnego, aby zmniejszyć opuchliznę i ból. Gdy wasz pupil będzie zachowywał się nietypowo, będzie wymiotował i wykazywał brak orientacji, jak najszybciej udajcie się z nim do lekarza weterynarii.

OPARZENIA

Poparzenia, choć rzadko śmiertelne (chyba że obejmują dużą powierzchnię skóry), są bolesne i mogą prowadzić do infekcji. W drastycznych przypadkach u kota może wystąpić szok, a nawet śmierć. Nigdy nie należy smarować oparzonych miejsc masłem ani żadną maścią na oparzenia bez uprzedniego skontaktowania się z lekarzem.

Do poparzeń chemicznych dochodzi wówczas, gdy kot miał styczność ze żrącymi kwasami lub zasadami, jak środki do czyszczenia urządzeń sanitarnych i mebli, kwas z akumulatora czy środki odrdzewiające. W takich przypadkach następuje wypadanie sierści i zmiana koloru skóry. Oparzone miejsce należy przemyć dużą ilością zimnej wody, następnie delikatnie zabandażować i natychmiast udać się z kotem do lekarza.

Do poparzeń spowodowanych porażeniem prądem może dojść, gdy kot przegryzie przewód elektryczny. Takie oparzenia najczęściej dotyczą pyszczka lub głowy zwierzęcia. W następstwie poparzeń może wystąpić wstrząs. Trzymajcie kota w cieple i natychmiast skontaktujcie się z lekarzem. Jeśli kot jest w szoku, może przestać oddychać i może nastąpić zatrzymanie akcji serca. W takim przypadku należy w drodze do lekarza zrobić zwierzęciu sztuczne oddychanie i masaż serca. Jeśli poza śladami oparzenia nie ma innych poważnych objawów, oparzone miejsca przemyjcie zimną wodą i przyłóżcie zimny okład, a następnie udajcie się z waszym czworonogiem do lekarza.

 Kocie sprawy: Szczepienia

Kot powinien otrzymać kilka podstawowych szczepionek. Obowiązkowo co roku należy szczepić zwierzęta przeciw wściekliźnie. Pozostałe szczepienia, jak przeciw panleukopenii, białaczce kotów, zapaleniu otrzewnej, nieżytowemu zapaleniu nosa, zakaźnemu katarowi kotów i niektórym chorobom grzybiczym, powinny być ustalone indywidualnie dla każdego kota, uwzględniając jego tryb życia.

Oparzenia wskutek kontaktu z rozgrzanym silnikiem samochodowym, rozgrzanym żelazkiem czy wrzątkiem mogą być bardzo bolesne i uszkodzić sierść oraz skórę kota. Poparzone miejsca należy przemyć zimną wodą i przyłożyć zimny okład, a następnie delikatnie je zabandażować, po czym udać się z kotem do lekarza weterynarii. Silne poparzenia mogą ulegać wtórnym zakażeniom i wymagają szczególnej troski polegającej na częstej zmianie opatrunków i stosowaniu antybiotyków.

TRUCIZNY

Jeśli wasz kot zje trującą roślinę albo substancję chemiczną, należy poczynić odpowiednie kroki, by go uratować. Jedną z najpowszechniej stosowanych metod jest zmuszenie kota do wymiotów, zanim trucizna przedostanie się z żołądka do jelit. Nie wymuszajcie wymiotów, jeśli kot połknął środki odrdzewiające, kwas, środki do nabłyszczania mebli czy benzynę, bowiem wymiotując te żrące substancje, może uszkodzić sobie przełyk i jamę ustną. Aby wywołać wymioty, podajcie kotu dwie łyżeczki do herbaty wody utlenionej. Niegdyś zalecano podawanie wywaru z suszonego korzenia wymiotnicy, obecnie się tego nie praktykuje. Jeśli nie macie wody utlenionej, można podać kotu dwie łyżeczki do herbaty roztworu soli kuchennej (czasami trzeba podać dodatkową dawkę). Gdy kot zwymiotuje, dajcie mu do picia dużą ilość czystej wody. W razie potrzeby zmuście go do zjedzenia kawałka delikatnego mięsa kurzego. Jak najszybciej skontaktujcie się z lekarzem. Nie próbujcie wymuszać wymiotów u kota, który stracił przytomność lub ma drgawki.

Aby zminimalizować działanie trucizn, można podać kotu do pyszczka rozkruszony i rozpuszczony w wodzie węgiel leczniczy. Ma on właściwości absorpcyjne, dzięki czemu chłonie truciznę, nie dopuszczając do jej wchłaniania w przewodzie pokarmowym.

W przypadku zatruć najlepiej zadzwonić do pobliskiej lecznicy i poprosić o radę. Istnieją (przynajmniej w dużych miastach) lecznice weterynaryjne, które nie tylko są otwarte całą dobę, ale także oferują wizyty domowe i dysponują karetkami ratunkowymi przyjeżdżającymi do chorych zwierząt. Wasz lekarz może także udzielić informacji lub przyjechać do domu, jeśli obejmują to warunki leczenia, ustalone wcześniej. Dobrze jest mieć zapisany numer do całodobowej kliniki.

Oczywiście, najlepiej zapobiegać wszelkim nieszczęściom. Trzymajcie więc substancje trujące w miejscach niedostępnych dla kota.

ZADŁAWIENIA

Zdarzają się rzadko, niemniej jednak kot może zadławić się dużym kawałkiem jedzenia lub przedmiotu, jeśli utkną w przełyku. Jeżeli kot jest nieprzytomny, konieczne będzie sztuczne oddychanie i być może masaż serca. Najpierw należy usunąć palcami, kleszczami lub pincetą obce ciało. Jeśli nie możecie go dosięgnąć, połóżcie kota na boku, przyłóżcie dłoń poniżej ostatniego żebra (tam, gdzie jest przepona) i wykonajcie szybko dwa lub trzy ruchy wypychające. Jest to odpowiednik manewru Heimlicha stosowany w przypadku kotów. Polega na wypchnięciu powietrza do tchawicy, co powoduje przemieszczenie ciała obcego i wypadnięcie go z gardła. Zabierzcie kota jak najszybciej do lekarza. Najlepiej, jeśli zaczniecie pomagać zwierzęciu już w drodze do lecznicy.

WYCHŁODZENIE I PRZEGRZANIE ORGANIZMU

Wychłodzenie organizmu jest spowodowane obniżeniem temperatury ciała zwierzęcia wskutek nadmiernej utraty ciepła. Koty, które przebywają wyłącznie w domu, wypuszczone nagle zimą do ogrodu mogą się przechłodzić. Wychłodzenie organizmu może niekiedy doprowadzić do śmierci zwierzęcia. Nawet u kotów przyzwyczajonych do chłodów panujących na zewnątrz mieszkania, w temperaturach poniżej 0°C może dojść do wychłodzenia organizmu.

Najbardziej narażone na wychłodzenie są kocięta. Objawami wychłodzenia organizmu (hipotermii) są: obniżenie temperatury ciała, osowiałość, dreszcze, spowolnienie oddychania i pracy serca, a nawet odmrożenia. Nigdy nie wypuszczajcie kota z mieszkania w mroźne dni!

W lekkich przypadkach przeniesienie kota do ciepłego

pomieszczenia i okrycie go kocem powinno pomóc
w przywróceniu normalnej temperatury ciała.
Przydatny może być także koc elektryczny i termofor.
Nie zostawiajcie kota samego. Czasami stosuje się kąpiel
rozgrzewającą w wodzie o temperaturze powyżej 39°C.
Po kąpieli należy kota dokładnie wysuszyć ręcznikami
i suszarką do włosów, po czym owinąć kocem. Jeśli po
tych zabiegach temperatura ciała nie wróci do normy, należy natychmiast wezwać lekarza, pogotowie weterynaryjne lub udać się z kotem do najbliższej lecznicy.

 Kocie sprawy: Wrażliwość na temperaturę
Koty z wiekiem stają się coraz bardziej wrażliwe na zmiany
temperatury, zwłaszcza zimą. Powinny przebywać w cieple,
więc nie wypuszczajcie ich z mieszkania i chrońcie przed chło-
dem oraz wilgocią.

Przegrzanie organizmu (hipertermia) następuje, gdy
kot narażony jest na działanie bardzo wysokich tempera-
tur. Może to być spowodowane niesprawną klimatyzacją,
wentylacją i upałami. Typowym przykładem jest zosta-
wienie kota w upalne dni w samochodzie ze szczelnie zasuniętymi szybami. Kot przyzwyczajony do niskich tem-
peratur, przeniesiony nagle w warunki „tropikalne", także może ucierpieć z powodu przegrzania.
Przegrzanie organizmu może spowodować natychmia-
stową śmierć zwierzęcia. Objawami hipertermii są: wysoka temperatura ciała, osłabienie, odwodnienie, wymioty,
przyspieszony oddech i przyspieszona praca serca oraz
dyszenie. Kota z oznakami przegrzania organizmu należy
przenieść w chłodne miejsce, choćby tylko letnie, ale nie

do lodówki! Polejcie zwierzę zimną wodą. Po obniżeniu temperatury ciała kota zawieźcie go do lekarza, aby mieć pewność, że nie wystąpiły nieodwracalne zmiany w organizmie.

Można zapobiec przegrzaniu organizmu, zapewniając zwierzęciu stały dostęp do czystej wody. Nigdy nie zostawiajcie kota na długo w upalne dni w nagrzanym samochodzie, zwłaszcza z zasuniętymi szybami, ani w klatce. Utrzymujcie w mieszkaniu odpowiednią temperaturę i zwilżajcie zimną wodą sierść kota, zwłaszcza w upalne dni. Gdy jest gorąco, wiele kotów chętnie wyleguje się koło wentylatora.

DRGAWKI

Niekontrolowane drżenie mięśni może być spowodowane wieloma przyczynami, włącznie z zatruciami, okaleczeniami i padaczką. U niektórych kotów, w zależności od przyczyny, drgawki mogą wystąpić jednorazowo, powtarzać się co kilka dni czy tygodni, u innych wielokrotnie w krótkim czasie.

Napad drgawek może stanowić zagrożenie dla kota, a także dla jego właściciela. Zwierzę może pogryźć lub podrapać nie tylko was, ale każdego, kto spróbuje je przytrzymać. Jeśli potraficie przewidzieć u kota atak, najlepiej owińcie go w koc albo umieśćcie w klatce, aby ograniczyć mu możliwość ruchu i ochronić przed urazem. Kota powinien obejrzeć lekarz i zastosować odpowiednie leczenie.

REANIMACJA

Gdy nie wyczuwacie pulsu i kot nie oddycha, konieczna jest reanimacja. Należy ją rozpocząć w kilka minut po ustaniu oddechu i pracy serca, inaczej może dojść do uszkodzenia mózgu i śmierci zwierzęcia. Jeśli wasz kot nie oddycha:

1. Połóżcie go na boku, otwórzcie mu pyszczek i wyciągnijcie język, aby sprawdzić, czy ustanie oddechu nie jest spowodowane obecnością obcego ciała w jamie ustnej.

2. Sprawdźcie, czy w pyszczku nie nagromadził się śluz albo krew, a następnie dotknijcie ustami jego nozdrzy tak, by je całkowicie zasłaniały.

3. Dmuchnijcie delikatnie w nozdrza kota, zwracając uwagę, czy klatka piersiowa rozszerzyła się. Powtarzajcie tę czynność z częstotliwością 12 razy na minutę, tak długo, jak będzie to konieczne.

4. Jeśli brak pulsu i oddechu, zastosujcie sztuczne oddychanie i masaż serca. Róbcie przerwy co 5 minut. Trzy palce silniejszej ręki przyłóżcie poniżej serca, około piątego żebra, i uciśnijcie z taką siłą, aby żebra ugięły się na głębokość około 2,5 cm. Uciskajcie klatkę piersiową 5 razy między oddechami.

5. Kontynuujcie sztuczne oddychanie i masaż serca do przyjazdu lekarza weterynarii lub do czasu, gdy kot zacznie samodzielnie oddychać.

OPIEKA NAD KOTEM W PODESZŁYM WIEKU

Koty, podobnie jak ludzie, żyją coraz dłużej. Zdrowy, dobrze utrzymany osobnik może żyć ponad 20 lat. Większość kotów starzeje się stopniowo. Bacznie obserwując zwierzę, można dostrzec wiele oznak tego procesu. Bywa, że kot w podeszłym wieku przybiera na wadze na skutek wolniejszej przemiany materii (może być ona równoważona gorszym apetytem). Jego sierść staje się przesuszona i słabsza. Także narządy zmysłów ulegają przytępieniu, lecz dzieje się to stopniowo, więc zwykle objawy tego dostrzegamy dopiero w późnym wieku. (Na szczęście wrażliwość kubków smakowych na języku prawie się nie zmienia, aż do śmierci zwierzęcia. Koty w podeszłym wieku być może „badają świat" za pomocą zmysłu smaku z powodu gorszego funkcjonowania pozostałych zmysłów).

Z wiekiem kota zmienia się także stan jego narządów wewnętrznych. Kości stają się bardziej porowate i kruche, przez co w większym stopniu są narażone na złamania lub zwichnięcia. Słabnie słynna gibkość kotów, stawy stają się sztywne i podatne na stany zapalne. Czas reakcji starszych osobników jest wolniejszy, słabnie też zdolność zapamiętywania różnych sytuacji. Mniej sprawny staje się układ odpornościowy i zmniejsza się ogólna odporność na choroby zakaźne.

Do chorób kotów związanych z wiekiem należą:

- nowotwory, zwłaszcza u niekastrowanych kocurów i niesterylizowanych kotek;
- utrata apetytu – spróbujcie dodać do pokarmu kota produkty o intensywnym zapachu (sardynki, ryby w oleju itp.);
- choroby tarczycy – nadczynność tego gruczołu jest często spotykanym schorzeniem, natomiast niedoczynność występuje u kotów bardzo rzadko;
- zaburzenie gospodarki elektrolitami spowodowane chorobami nerek i wątroby, co skutkuje utratą masy ciała, ospałością i anemią. Podawanie potasu w tabletkach przyczynia się często do znacznej poprawy zdrowia;
- cukrzyca – wywołana złym funkcjonowaniem trzustki;

- zapalenie stawów (artretyzm) – bolesne schorzenie utrudniające poruszanie się. Koty cierpiące z powodu zapalenia stawów mogą mieć trudności w pielęgnowaniu sierści i będą potrzebowały waszej pomocy;

- zaparcia spowodowane gorszą pracą żołądka, jelita cienkiego i grubego. Dodawanie do diety błonnika oraz przepisanych przez lekarza weterynarii środków przeczyszczających może zmniejszyć ten problem;

- zaćma – zmętnienie soczewki ograniczające zdolność widzenia. Pomóc może zabieg chirurgiczny.

Kocie sprawy: Pomyśl dwa razy, zanim weźmiesz nowego kota

Nie przynoście do domu małego, rozbrykanego kotka, jeśli rezyduje w nim kot senior. Młode zwierzę o niezaspokojonej chęci do zabawy może dokuczać starszemu, co będzie dla niego stresujące. Sprawcie, aby jesień życia waszego kota upływała w spokoju, bez niepotrzebnych problemów.

Pospolite choroby
i problemy zdrowotne

K oty domowe mogą nabawić się różnych chorób, jak: przeziębienie, nowotwory, choroby nerek czy zapalenie spojówek. Większość z nich nie stanowi śmiertelnego zagrożenia dla zwierzęcia i tylko nieliczne wymagają specjalistycznej opieki weterynaryjnej. W rozdziale tym przedstawiono od A do Z choroby kotów, ich przyczyny i metody leczenia. Większości z opisanych schorzeń można zapobiec lub je leczyć.

ALERGIE

Alergie powodowane są nadmierną reakcją układu odpornościowego. Objawy alergii pojawiają się tylko po powtórnym kontakcie z czynnikami wywołującymi reakcję alergiczną (alergenami). Przy pierwszym kontakcie z nimi wytwarzane są przez układ odpornościowy przeciwciała, ale nie wywołują objawów alergicznych. Układ odpornościowy błędnie rozpoznaje nieszkodliwe czynniki, takie jak kurz czy pokarm, jako obce i zaczyna je zwalczać za pomocą przeciwciał i limfocytów. Kolejny kontakt z alergenem stymuluje produkcję histaminy lub innych substancji odpowiedzialnych za wystąpienie objawów reakcji alergicznej. Alergie u kotów mogą powodować na przykład pchły, pokarm, leki, szampon lub pasożyty wewnętrzne. Koty bywają wówczas osowiałe i smutne. Alergiom może towarzyszyć świąd, ciężki oddech, wypadanie sierści, łzawienie z oczu, wyciek z nosa, biegunka i wymioty.

Niektóre alergie trudno zdiagnozować i wówczas weterynarz będzie musiał zlecić przeprowadzenie badania krwi i wykonanie testów skórnych. Stres także niekiedy wywołuje u kotów reakcje podobne do alergii.

Leczenie może polegać na unikaniu czynników uczulających i stosowaniu antyhistamin, które łagodzą świąd.

Sami możecie zapobiegać alergiom, karmiąc kota najlepszej jakości karmą, nie narażając go na stres, unikając potencjalnie szkodliwych szamponów i zwalczając pchły.

ANEMIA (NIEDOKRWISTOŚĆ)

Schorzenie to stosunkowo rzadko występuje u kotów. Spowodowane jest zmniejszoną liczbą czerwonych ciałek krwi. Czerwone ciałka krwi dzięki hemoglobinie, która wiąże tlen, transportują go do innych komórek organizmu. Anemia może być skutkiem krwotoku wewnętrznego, zaburzeń w wytwarzaniu czerwonych ciałek w szpiku kostnym, niedoborów pewnych składników pokarmowych czy infekcji. Nieleczona może stać się zagrożeniem dla życia kota. Oznakami anemii bywają: brak apetytu, spadek masy ciała, osłabiona aktywność ruchowa, jasne dziąsła, nietrzymanie moczu, biegunka, przyspieszony oddech. Chorobę można zdiagnozować na podstawie badania krwi. Leczenie będzie uzależnione od przyczyny anemii. Zwierzęciu podaje się witaminy i preparaty mineralne lub specyficzne leki (na przykład przeciwnowotworowe), ale może być także konieczna transfuzja krwi. Aby nie dopuścić do tego schorzenia, należy stosować odpowiednią, zaleconą przez lekarza karmę i chronić kota przed krwotokami zewnętrznymi wskutek ran odniesionych w walkach z innymi zwierzętami oraz wewnętrznymi – np. w wyniku upadku z dużej wysokości.

ASTMA

Astma jest chorobą układu oddechowego i objawia się trudnościami w oddychaniu. Powracające, nieprzewidywalne napady duszności mogą występować z różną siłą. Choroba ta rzadko dotyka koty i pojawia się zwykle u młodych zwierząt. Bywa, że wraz z wiekiem zanika, ale może się także pogłębić.

Nieleczone zapalenie oskrzeli, długotrwała infekcja dróg oddechowych lub ich podrażnienie mogą powodować astmę. U starszych kotów z niewydolnością krążenia gromadzący się w płucach płyn może powodować trudności w oddychaniu.

Podczas ataku astmy oddech zwierzęcia staje się ciężki, może być przyspieszona czynność serca. Zdarza się, że zwierzę wpada w panikę. Ostry atak astmy bywa śmiertelny dla kota.

Lekarz może zdiagnozować astmę na podstawie: prześwietlenia, analizy krwi i osłuchiwania klatki piersiowej. Chociaż jak dotąd nie znaleziono skutecznego sposobu leczenia astmy, to można wyraźnie złagodzić jej ataki.

Jeśli przyczyną jest określony alergen, należy chronić kota przed kontaktem z nim. Astmatyczne koty źle znoszące zanieczyszczenie powietrza, powinny być więc trzymane w mieszkaniu z zamkniętymi oknami. Dokładne odkurzanie pomieszczenia, stosowanie filtrów wychwytujących kurz, niepalenie tytoniu i nienarażanie zwierzęcia na stres mogą łagodzić ataki astmy.

Lekarz weterynarii może przepisać leki na bazie steroidów (w postaci zastrzyków lub drażetek), które ułatwiają oddychanie.

Każdy ostry napad astmy wymaga natychmiastowej wizyty w lecznicy, gdzie personel medyczny poda kotu tlen i środki rozszerzające oskrzela, by przywrócić zwierzęciu normalny oddech.

BIAŁACZKA KOTÓW

Retrowirus odpowiedzialny za tę coraz częściej spotykaną u kotów chorobę, prawie zawsze kończącą się śmiercią zwierzęcia, jest przenoszony poprzez różne wydzieliny, zwłaszcza ślinę. Kot może zakazić się wirusem FeLV na skutek pogryzienia przez zakażonego kota lub dzielenia z nim kuwety czy misek na pokarm i wodę. Także pchły, które przedtem pasożytowały na chorym osobniku, mogą zakażać inne. Zainfekowana kotka może przenosić wirusy na potomstwo poprzez łożysko albo mleko.

Podobnie jak inne retrowirusy FeLV namnaża się w zaatakowanych komórkach, przyczyniając się do powstania nowotworów węzłów chłonnych, jelita grubego, płuc oraz innych poważnych chorób. Objawami białaczki są: utrata apetytu i spadek masy ciała, gorączka, anemia, biegunka, wymioty, nietrzymanie moczu, uszkodzenie wątroby, śledziony lub nerek, drgawki, podatność na wtórne infekcje bakteryjne, wirusowe lub pasożytnicze, wirusowe zapalenie otrzewnej, schorzenia układu oddechowego, a także zapalenie stawów.

Leczenie polega na zapobieganiu wtórnym infekcjom i eliminowaniu ich oraz na łagodzeniu efektów choroby.

U niektórych kotów zakażonych wirusem FeLV mogą nie występować objawy chorobowe. Zwierzęta te są jedynie nosicielami białaczki. Nosicielstwo można ustalić na podstawie testów krwi. Koty, które są nosicielami tej choroby, należy odizolować od pozostałych.

Aby uchronić kota przed białaczką, należy go zaszczepić, gdy ukończy przynajmniej osiem tygodni, trzymać wyłącznie w domu i nie przynosić znalezionych kotów, zanim nie zbada ich lekarz weterynarii.

BIEGUNKA

Biegunka to częste oddawanie płynnego, luźnego kału. Może być spowodowana zanieczyszczonym pokarmem lub wodą bądź po prostu nieprzyswajaniem go przez układ pokarmowy kota. Biegunka u kociąt jest znacznie poważniejszym schorzeniem niż u osobników dorosłych, bowiem przyczynia się do znacznego odwodnienia organizmu i stanowi zagrożenie dla życia młodych zwierząt.

Biegunkę mogą wywołać: zatrucia, infekcje wirusowe lub bakteryjne, alergie, cukrzyca, choroby wątroby i trzustki, nowotwory, zapalenie jelita grubego, panleukopenia, a nawet stres.

Leczenie biegunki zależy od jej przyczyny. Jeśli biegunka nie ustąpi w ciągu 24 godzin, należy skontaktować się z lekarzem weterynarii, zwłaszcza w przypadku kociąt i starszych kotów. Sprawdzi on przede wszystkim, czy biegunka nie jest wynikiem poważnych chorób, takich jak nowotwór bądź cukrzyca. W zależności od stopnia odwodnienia organizmu lekarz może podać płyny dożylnie lub podskórnie. Może także pobrać do analizy próbki moczu, krwi i kału, aby ustalić, czy ma do czynienia z infekcją bakteryjną, wirusową bądź pasożytniczą. Jeśli stwierdzi którąś z nich, przepisze odpowiednie leki. W przypadku biegunki spowodowanej alergią wraz z lekarzem powinniście znaleźć jej przyczynę. Może nią być któryś ze składników pokarmu, na przykład pszenica, ryż, konserwanty, rodzaj mięsa. Jeśli alergen zostanie znaleziony, to unikając go, zlikwidujecie problem.

Biegunkę u kota może także wywoływać stres spowodowany nagłymi zmianami w otoczeniu, jak zmiana pokarmu czy ściółki w kuwecie, przeprowadzka, hałas, złe obchodzenie się ze zwierzęciem bądź pojawienie się w domu nowych osób lub zwierząt. Starajcie się utrzymywać otoczenie kota w czystości, zwalczajcie pasożyty, podawajcie mu karmę zalecaną przez lekarza weterynarii, a nie jedzenie dla ludzi, i nie narażajcie go na stres.

CHOROBY DRÓG ODDECHOWYCH

Koty zapadają na choroby dróg oddechowych, podobnie jak ludzie. Te pospolite schorzenia, wywoływane przez bakterie i wirusy, choć rzadko śmiertelne, przysparzają kotu wiele cierpień. Są zaraźliwe i mogą przenosić się poprzez wdychane powietrze lub bezpośredni kontakt. Kot w ciągu swego życia może niejednokrotnie zapadać na choroby dróg oddechowych. Chociaż nie zagrażają one jego życiu, kota powinien zbadać lekarz, gdy zwierzę źle się poczuje, ponieważ wiele groźnych chorób przebiega z objawami podobnymi do przeziębienia i grypy.

Kota z infekcją dróg oddechowych należy nakłaniać do jedzenia, bowiem zwierzę niechętnie je, gdy nie czuje zapachu pokarmu.

Aby zminimalizować szansę wystąpienia choroby u waszego pupila, trzymajcie go w mieszkaniu i chrońcie przed wałęsającymi się innymi kotami. Zwracajcie także uwagę, aby nie miał kontaktu z ich odchodami. Objawami choroby są wypływ z oczu i nosa, kichanie oraz zapalenie spojówek. Po postawieniu diagnozy lekarz weterynarii przepisze antybiotyki. Jeśli u waszego kota zostanie wykryta bakteria *Chlamydia psisttacii*, trzymajcie zwierzę z dala od innych kotów przynajmniej przez miesiąc.

Zakaźny katar kotów (FCV)

Zakaźny katar kotów (*FCV – Feline Calicivirus*) nazywany bywa kocią grypą. Chorobę wywołują różne wirusy: herpeswirusy, kaliciwirusy, retrowirusy i inne. Obecnie istnieje skuteczna szczepionka przeciw herpeswirusom i kaliciwirusom. Chociaż schorzenie to zwykle nie stanowi zagrożenia dla życia dorosłych kotów, jest niebezpieczne dla osobników młodych i w podeszłym wieku. Choroba przebiega z gorączką, która może utrzymywać się przez kilka dni. Czasami zakaźnemu katarowi kotów towarzyszy owrzodzenie jamy ustnej, a także utrudnione oddychanie, kichanie oraz wypływ z nosa i oczu. U chorych zwierząt obserwuje się: utratę apetytu, spadek masy ciała, wymioty, biegunkę i odwodnienie organizmu, a także osłabienie i podatność na wtórne infekcje.

Kot musi wypoczywać i dostawać leki zwalczające infekcję. Powinien także uzupełniać płyny, aby nie nastąpiło odwodnienie organizmu. Niewykluczone, że konieczne będą leki przeciw biegunce. Chorobie można zapobiegać, trzymając kota w mieszkaniu oraz szczepiąc go.

Wirusowy nieżyt nosa kotów

Chorobę wywołują herpeswirusy (ale inne niż w przypadku nieżytu nosa u ludzi). Chory kot ma objawy jak przy przeziębieniu: kicha, kaszle, ma katar i załzawione oczy. U chorych zwierząt mogą dodatkowo występować: zapalenie spojówek, brak apetytu oraz gorączka. Nieżyt

nosa bywa śmiertelny, zwłaszcza dla nowo narodzonych
kociąt. Może trwać 10 dni i zakończyć się wyzdrowieniem
zwierzęcia. Czasami jednak ma utajony przebieg.
W celu zwalczenia wtórnej infekcji bakteryjnej podaje
się leki przeciwwirusowe i antybiotyki. Chorego kota należy trzymać w domu, w cieple oraz podawać mu odpowiednią ilość płynów. Zawsze izolujcie chore osobniki od
pozostałych. Aby uchronić zwierzę przed wirusowym nie-
żytem nosa, powinno się je zaszczepić.

CHOROBY NEREK
Funkcją nerek jest usuwanie końcowych produktów przemiany materii oraz substancji toksycznych, a także nad-
miaru wody. W przypadku zaburzenia czynności nerek
toksyny nie są wchłaniane, co prowadzi do śpiączki
i śmierci. Choroby nerek objawiają się zwiększonym pra-
gnieniem, wzmożonym oddawaniem moczu, utratą apetytu i spadkiem masy ciała, nietrzymaniem moczu, wymiotami, nieprzyjemnym zapachem z pyszczka, cukrzycą
i podwyższonym ciśnieniem.

Choroby wrodzone
Koty czasami rodzą się z niedorozwojem nerek lub tylko z jedną nerką, co znacznie ogranicza możliwości filtra-
cyjne narządu. Mogą także rodzić się z torbielowatością
nerek, wskutek czego ich czynność jest upośledzona.

Niedostateczny dopływ krwi
Uszkodzenie nerek może być spowodowane zmniejszo-
nym dopływem krwi w następstwie cukrzycy albo niedrożnością naczyń. Leczenie polega na podawaniu leków i zmianie diety. Konieczny może być także zabieg chirurgiczny.

Metaboliczne podłoże chorób nerek
Kamienie powstałe wskutek dużego stężenia soli mineralnych we krwi mogą powodować u kota bolesność i uszkadzać nerki.

Infekcje
Nieleczone zapalenie pęcherza moczowego bywa powodem zakażenia nerek.

Infekcja pęcherza moczowego, wywołana przez bakterie rozwijające się w zalegającym w pęcherzu moczu, może szybko się rozprzestrzenić i zaatakować nerki. Przyczyną ich niesprawnego funkcjonowania mogą być nie tylko kamienie występujące w układzie moczowym, ale także wady wrodzone, nowotwory lub uszkodzenie cewki moczowej. Leczenie polega na usunięciu zatorów, podawaniu leków i zmianie diety.

Substancje toksyczne
Liczne substancje toksyczne mogą powodować uszkodzenie nerek u kotów. Bywa ono nieodwracalne, należy więc trzymać kota z dala od wszelkich szkodliwych substancji.

Nowotwory
U kotów mogą rozwijać się choroby nowotworowe nerek, choć zdarza się to rzadko. Mają one istotny wpływ na funkcjonowanie narządu, ważne więc jest ich wczesne wykrycie. Leczenie polega na wykonaniu zabiegu chirurgicznego, podawaniu leków i zmianie diety.

Wykrycie zmian chorobowych u kotów nie jest łatwe. Kota należy codziennie obserwować i w przypadku pierwszych niepokojących objawów bezzwłocznie skontaktować się z lekarzem. Niestety, zdarza się, że choroba nerek może być dla kota śmiertelna, zwłaszcza jeśli jest wrodzona. Wczesne wykrycie choroby może zatrzymać jej rozwój.

Aby zmniejszyć ryzyko rozwoju chorób nerek, należy zapewnić kotu odpowiednią dietę, która nie powinna zawierać dużych ilości soli, fosforu i białek oraz umożliwić stały dostęp do czystej, zmienianej codziennie wody.

CHOROBY NOWOTWOROWE

Nowotworem nazywa się tkankę, którą cechuje niekontrolowany, nadmierny wzrost.

Nowotwory złośliwe najczęściej atakują takie narządy, jak: żołądek, płuca, jelita, wątroba lub trzustka, a także sutki i skóra. Mogą one jednakże rozwinąć się w dowolnej części organizmu kota, nie wykluczając szpiku, mięśni czy węzłów chłonnych. Choroby nowotworowe są często przyczyną śmierci starszych kotów. Mogą powodować ból i są trudne do leczenia.

Inaczej niż w przypadku łagodnych nowotworów, których wzrost w pewnym momencie ustaje, nowotwory złośliwe rosną stale, atakując sąsiednie tkanki. Komórki nowotworowe mogą poprzez naczynia krwionośne i limfatyczne przedostać się do innych części ciała i namnażać w nich, tworząc przerzuty.

Choroby nowotworowe są powszechnie spotykane u kotów i pojawiają się u zwierząt w różnym wieku. Zmiany nowotworowe mogą być niezauważane przez długi czas, zwłaszcza te w klatce piersiowej, które są niewidoczne na zewnątrz. Przyczyny chorób nowotworowych mogą być różnorodne, włączając dietę, warunki otoczenia, genetyczne uwarunkowania, wirusy.

Symptomy zależą od typu choroby nowotworowej i stadium jej rozwoju. Zwykle są to: utrata apetytu, spadek masy ciała, nadpobudliwość, zbytnia nerwowość, trudności w oddychaniu, obecność krwi w moczu, nieustanny kaszel, biegunka, zaparcia, powiększające się guzki czy zgrubienia skórne, nieprzyjemny zapach z pyszczka, niegojące się rany, wypływ z oczu, uszu, pyszczka, odbytu lub narządów rodnych. Lekarz weterynarii może zdiagnozować chorobę nowotworową na podstawie osłuchania klatki piersiowej kota i analizy wycinków tkanek (biopsja). Pomocne bywają także prześwietlenia, badania ultrasonograficzne lub endoskopowe. Zalecane jest również badanie krwi, moczu i kału.

W leczeniu chorób nowotworowych stosuje się zabiegi chirurgiczne, chemioterapię, naświetlanie, odpowiednią dietę lub ich kombinacje. Wiele nowotworów można skutecznie leczyć. Jednak choroby nowotworowe bywają śmiertelne dla kota, więc leczenie należy rozpocząć natychmiast.

Zapobieganie nowotworom jest trudne, ponieważ część z nich ma podłoże genetyczne. Zrównoważona dieta i regularne badania mogą zmniejszyć szansę zachorowania.

CHOROBY SERCA

Serce to najważniejszy mięsień w organizmie kota. Jeśli źle funkcjonuje lub jest uszkodzone, to zdrowie zwierzęcia może być poważnie zagrożone.

Z wyjątkiem miażdżycy tętnic, która jest rzadko spotykana u kotów, zwierzęta te dotykają takie same choroby serca, jak u ludzi, czyli wady wrodzone tego narządu, infekcje, nowotwory, osłabienie mięśnia sercowego, jego okaleczenia, uszkodzenia spowodowane zatruciami lub brakiem substancji odżywczych, arytmia. Choroby serca często ujawniają się dopiero po pewnym czasie i są trudne do zdiagnozowania.

W ich rozpoznaniu pomagają nowoczesne techniki diagnostyczne, jak: rezonans magnetyczny, echokardiografia, prześwietlenie i elektrokardiografia, a także analiza krwi, biopsja i cewnikowanie rozpoznawcze.

Wady wrodzone

U kociąt często spotyka się wrodzone wady serca, na przykład wady zastawek serca. Wydaje się, że ich podłożem nie jest czynnik genetyczny, bowiem niektóre kocięta z tego samego miotu są zupełnie zdrowe, podczas gdy inne cierpią z powodu wad serca. Objawami wad wrodzonych są: duszność, blade lub sine śluzówki, ograniczenie wzrostu, niedorozwój mięśni oraz zmęczenie.

Wady wrodzone można wykryć badaniem rentgenowskim czy elektrokardiograficznym lub badając echo serca. Leczenie polega na stosowaniu leków, podawaniu tlenu, zmianie diety i zapewnieniu kotu spokoju.

Infekcje

Uszkodzenie i osłabienie serca może być spowodowane zakażeniem wirusowym lub bakteryjnym. Zapalenie wsierdzia jest przyczyną zniekształcenia lub wadliwej czynności zastawek. Chorobę można wykryć dzięki badaniom krwi i badaniu elektrokardiograficznemu oraz prześwietleniu klatki piersiowej. Leczenie polega na podawaniu antybiotyków.

Nowotwory

Zmiany nowotworowe mogą pojawiać się w komorach serca, w jego ścianach lub osierdziu. Oddziałują na pracę serca i prowadzą do jego niewydolności.

Badanie krwi i badanie elektrokardiograficzne oraz prześwietlenie i osłuchanie klatki piersiowej pozwalają zdiagnozować chorobę. Leczenie zwykle zależy od stopnia rozwoju nowotworu i jego umiejscowienia. Jeśli nowotwór jest mały i łagodny, zazwyczaj wystarczy go monitorować. Jeżeli natomiast jest złośliwy, należy zastosować odpowiednią terapię w celu powstrzymania jego rozwoju i uniemożliwienia przerzutów. Doradza się zwykle zmianę diety kota. Wskazane jest też zapewnienie zwierzęciu dużo spokoju.

Osłabienie mięśnia sercowego

Kardiomiopatia, inaczej osłabienie mięśnia sercowego, bywa śmiertelna. Choroba może być dziedziczna, a także powstawać na skutek niedoborów pokarmowych, zatrucia, nadczynności tarczycy. Osłabienie mięśnia sercowego bywa także spowodowane niektórymi lekami, zakażeniem bakteryjnym lub wirusowym. Chorobę można wykryć, osłuchując klatkę piersiową, a także wykonując elektrokardiografię i badanie krwi. Leczenie polega na podawaniu leków, zmianie diety i zapewnieniu kotu spokoju.

Kocie sprawy: Więcej o chorobach serca

Urazy klatki piersiowej, niedobory pokarmowe, otyłość i zatrucia mogą być przyczyną uszkodzenia serca kota. Czasami niezbędne są: podawanie leków, zmiana diety, a nawet zabieg chirurgiczny.

Arytmia i inne choroby serca

Arytmia jest zaburzeniem akcji serca. Szmery spowodowane są nieregularnym krążeniem krwi w sercu. Chociaż choroba nie zawsze bywa groźna, to zwierzę powinno być pod stałą kontrolą lekarza weterynarii. Szmery w sercu mogą wskazywać na nieprawidłową pracę zastawek serca, anemię czy choroby mięśni. Blokada serca to schorzenie, w którym zaburzone jest funkcjonowanie komór serca, co może powodować zawroty głowy, krótki, przyspieszony oddech, a nawet śmierć.

Lekarz weterynarii może zdiagnozować chorobę, osłuchując klatkę piersiową i przeprowadzając specjalistyczne badania. Następnie przepisze kotu leki i zaleci monitorowanie pracy jego serca.

Chociaż wiele chorób serca ma podłoże genetyczne i jest wrodzonych, to można zmniejszyć ryzyko zachorowania waszego pupila, dając mu wysokiej jakości karmę, zapobiegając otyłości, zapewniając odpowiednią dawkę ruchu, zabezpieczając substancje toksyczne, trzymając go w mieszkaniu, unikając infekcji oraz okaleczeń, które mogłyby spowodować problemy z krążeniem.

CHOROBY SKÓRNE

Zapalenie skóry często bywa wywołane alergią, lecz czasami także innymi czynnikami mogącymi powodować wysypkę, świąd, łupież, a niekiedy zaczerwienienie skóry.

Koty cierpią z powodu różnych chorób skórnych (omówiono je w dalszej części rozdziału), które wywołują u nich podrażnienie lub agresję.

Alergie skórne

Jeśli kot jest uczulony na pewne substancje, na przykład określoną karmę lub szampon, to na jego skórze mogą wystąpić zmiany chorobowe. Skóra bywa wówczas zaczerwieniona, pokryta bąblami, guzkami oraz

swędzi, co sprawia, że kot intensywnie wylizuje i wy-
gryza się, w wyniku czego tworzą się rany podatne na
infekcje.

Podrażniona skóra jest gorąca w dotyku, może stward-
nieć i spuchnąć. Bywa, że tworzą się łysiny i dochodzi do
infekcji bakteryjnej, czemu towarzyszą ślimaczące się ropnie. U kota cierpiącego na alergię skórną mogą występować także inne objawy, jak: kaszel, kichanie, dyszenie albo wypływ z nosa i oczu. Leczenie polega na określeniu
alergenu i unikaniu go w przyszłości, stosowaniu antyhistamin, antybiotyków oraz kąpieli leczniczych w celu usunięcia świądu, a także zwalczaniu infekcji i regularnych
wizytach u lekarza weterynarii.

Kontaktowe zapalenie skóry

Każdy kot narażony na działanie chemicznych środków drażniących albo farby może cierpieć na kontaktowe
zapalenie skóry. Objawy tego schorzenia są podobne, jak
w przypadku alergii skórnych, ale zwykle ograniczają się
do określonych fragmentów ciała. Na przykład u wielu
kotów kontaktowe zapalenie skóry rozwija się w wyniku
noszenia obroży przeciwpchelnej, która zawiera środki
owadobójcze. Leczenie tego schorzenia polega przede
wszystkim na usunięciu z otoczenia kota substancji draż-
niącej, jak również innych, które mogłyby potencjalnie
wywołać zapalenie skóry. W celu postawienia diagnozy
należy skontaktować się z lekarzem. Niektóre substancje,
które powodują kontaktowe zapalenie skóry, mogą być
dla kota toksyczne, a nawet śmiertelne, jeśli zostaną przez
niego zjedzone.

Zapalenie skóry wywołane przez pasożyty

U kotów atakowanych przez pchły, kleszcze lub inne roztocze bądź wszy rozwija się zapalenie skóry spowodowane nieustannym drapaniem się zwierząt. Niektóre pasożyty zewnętrzne, zwłaszcza pchły, mogą także wywoływać alergie skórne. Wiele kotów jest uczulonych na pchły i ukłucie nawet tylko jednego owada może spowodować u nich niezwykle silny świąd. Pchły mogą także przenosić pasożyty wewnętrzne, powodować anemię i roznosić niebezpieczne choroby.

Należy regularnie sprawdzać sierść i skórę kota, czy nie ma pcheł albo kleszczy. Zwracajcie także uwagę na zachowanie zwierzęcia. Silny świąd, wygryzanie, wylizywanie i wypadanie sierści, a także podrażnienie, czerwona wysypka, bąble i otwarte rany też mogą być objawami zapalenia skóry.

Leczenie polega głównie na ograniczeniu kotu okazji do wychodzenia z domu, a tym samym konfliktów z innymi zwierzętami oraz pozbyciu się pasożytów, stosowaniu raz w miesiącu preparatu przeciw pchłom i szamponu do kąpania zaleconego przez lekarza.

CHOROBY WĄTROBY

Jednym z najważniejszych narządów organizmu jest wątroba. Reguluje ona nie tylko poziom większości substancji chemicznych we krwi, ale także wytwarza białka osocza krwi, pełni funkcję gruczołu trawiennego, wydzielając żółć niezbędną do trawienia tłuszczów oraz uwalnia w razie potrzeby zapasy glukozy zmagazynowanej w postaci glikogenu, która stanowi źródło energii. Ponadto reguluje poziom aminokwasów i pomaga usuwać z krwi niektóre substancje trujące. Ze względu na zdolności regeneracyjne wątroba może pełnić swoje funkcje, nawet gdy połowa jej zostanie usunięta.

Choroby wątroby dość często dotykają koty, zwłaszcza starsze. Stanowią poważny problem, bowiem bez wątroby nie da się żyć. W przebiegu chorób wątroby pojawiają się: biegunka, wymioty, utrata apetytu i spadek masy ciała, a także osowiałość i podrażnienie oraz żółtaczka i padaczka.

Wady wrodzone

Oprócz nie w pełni rozwiniętych przewodów żółciowych, których funkcje mogą być upośledzone, u kotów zdarzają się także inne wady wrodzone.

Infekcje

Zakażenia bakteryjne lub wirusowe, określane jako zapalenia wątroby, mogą poważnie wpływać na jej funkcję. Także pasożyty przyczyniają się do chorób wątroby – uszkadzać ją mogą na przykład przywry wątrobowe.

Leczenie polega na podawaniu leków, zmianie diety, a także ograniczeniu kontaktów kota z innymi, potencjalnie zarażonymi zwierzętami.

Zatrucia

Wiele leków i substancji chemicznych może uszkadzać wątrobę. Jak już wspomniano, aspiryna bywa lecznicza dla kotów, pod warunkiem że jest podawana pod ścisłą kontrolą lekarza i tylko w małych dawkach, w dużych odstępach czasu. Kota należy chronić przed takimi substancjami, jak ibupron, paracetamol, alkohol, środki owadobójcze i rozpuszczalnik, a także przed grzybami i roślinami trującymi.

Nowotwory

Nowotwory mogą tworzyć przerzuty w wątrobie. Nowotwory wątroby zwykle towarzyszą białaczce kotów. Leczenie polega na przeprowadzeniu zabiegu chirurgicznego, podawaniu leków i zmianie diety.

Można zmniejszyć ryzyko wystąpienia chorób wątroby, trzymając kota w domu, chroniąc go przed zakażeniami bakteryjnymi i wirusowymi oraz przed pasożytami, podając mu zaleconą przez lekarza weterynarii, dobrej jakości karmę i usuwając z otoczenia zwierzęcia wszelkie substancje trujące.

CUKRZYCA

Choroba ta powstaje wówczas, gdy trzustka nie produkuje dostatecznej ilości insuliny niezbędnej w przemianach węglowodanowych. Cukrzyca pojawia się zwykle u starszych lub otyłych kotów i może być uwarunkowana genetycznie. U chorych zwierząt obserwuje się podwyższony poziom cukru we krwi. Może to powodować nadmierne wydalanie moczu, wzmożone pragnienie i łaknienie, a przy tym utratę masy ciała, osłabienie, odwodnienie i biegunkę. Następstwem cukrzycy bywa: ślepota, stwardnienie naczyń krwionośnych, uszkodzenie nerek, owrzodzenie skóry, a w ostrych stanach śpiączka cukrzycowa i śmierć zwierzęcia.

Chorobę diagnozuje się na podstawie podwyższonego poziomu cukru we krwi. W tym celu należy oddać próbki moczu i krwi do analizy. Leczenie polega na podawaniu insuliny, aby przywrócić prawidłową przemianę glukozy. Jeśli trzustka kota jest w stanie nadal wytwarzać insulinę, w utrzymaniu stabilnego, prawidłowego poziomu cukru we krwi stosuje się specjalną dietę i leki obniżające poziom cukru.

Zaleca się podawanie kotu niskokalorycznej, bogatej w błonnik karmy oraz przestrzeganie czasu posiłków, co sprzyja ustabilizowaniu poziomu cukru we krwi. Należy kontrolować ten poziom, a także masę ciała kota, stosując odpowiednie testy.

Cukrzyca jest poważną chorobą. Nieleczona prowadzi do śmierci zwierzęcia. Jeśli zauważycie którykolwiek z wymienionych objawów, natychmiast skontaktujcie się z lekarzem weterynarii. Analiza krwi i moczu uchroni waszego czworonoga przed cierpieniem.

DYSPLAZJA STAWU BIODROWEGO

Choroba ta polega na niedostatecznym wykształceniu stawu, wskutek czego główka i panewka nie pasują do siebie. Schorzenie dotyka jednego lub dwóch stawów biodrowych. Dysplazja stawu biodrowego ma podłoże genetyczne, co sprawia, że chorobie trudno zapobiec. Wielu hodowców prześwietla stawy biodrowe swoim kotom. Koty z dysplazją stawów biodrowych w starszym wieku odczuwają bóle stawów i znacznie częściej doznają urazów z powodu mniejszej sprawności ruchowej.

Aby wykryć dysplazję, lekarz weterynarii powinien zbadać kota i zlecić wykonanie prześwietlenia stawów. W wielu przypadkach stan chorych zwierząt może się ustabilizować, pod warunkiem że nie będą skakać i zachowają idealną masę ciała.

Gdy kot odczuwa silny ból lub nie jest w stanie chodzić, lekarz może przepisać leki poprawiające komfort życia zwierzęcia lub zalecić przeprowadzenie zabiegu chirurgicznego.

GŁUCHOTA

Częściowa lub całkowita utrata słuchu bywa skutkiem wad wrodzonych. Może być jednak także spowodowana innymi chorobami czy okaleczeniami, jak również podeszłym wiekiem zwierzęcia.

Głuchota przewodzeniowa jest skutkiem nieprawidłowego przewodzenia fal dźwiękowych z ucha zewnętrznego do wewnętrznego, często będącego następstwem uszkodzenia błony bębenkowej lub znajdujących się w uchu środkowym kosteczek słuchowych (młoteczka, kowadełka, strzemiączka). Głuchota jest spowodowana nieprawidłowym przewodzeniem sygnałów dźwiękowych z ucha wewnętrznego do mózgu w wyniku uszkodzenia nerwu słuchowego.

Prawdopodobnymi przyczynami przewodzeniowej utraty słuchu są: czop woskowiny, zapalenie ucha środkowego i zatkanie go wyciekiem ropnym, a także uszkodzenie strzemiączka lub błony bębenkowej na skutek infekcji, skaleczenia czy zabiegu chirurgicznego. Możliwymi przyczynami głuchoty nerwowej mogą być: wady wrodzone ucha wewnętrznego, uszkodzenie ucha wewnętrznego na skutek choroby lub skaleczenia, hałas, podeszły wiek kota, infekcje wirusowe lub choroby nowotworowe.

Stopniowa utrata słuchu jest spotykana u kotów częściej niż u psów. Żaden kot w podeszłym wieku z zaburzeniami słuchu nie powinien opuszczać domu, zwłaszcza w pobliżu ruchliwych ulic. Nie usłyszy nadjeżdżającego pojazdu i może zginąć pod kołami.

Zdarza się, że koty rodzą się głuche. Dotyczy to zwierząt o białej sierści (mających gen determinujący białą sierść) i niebieskich oczach. Biały kolor sierści (rzadko występujący u dziko żyjących zwierząt) został utrwalony w hodowli kotów. Wynika z tego wiele problemów zdrowotnych. Wybierajcie więc sprawdzoną hodowlę.

Zapewnijcie kotu bezpieczne i spokojne warunki życia, nie narażajcie go na stres i infekcje. Czyśćcie regularnie uszy i chodźcie na badania kontrolne, przynajmniej raz w roku. Większość kotów przyzwyczai się do swojej głuchoty, pod warunkiem że będą trzymane w domu, w znanym im otoczeniu.

HEMOBARTONELOZA (ZAKAŹNA ANEMIA KOTÓW)

Chorobę wywołują mikroorganizmy, które atakują czerwone ciałka krwi. Niesprawny układ odpornościowy kota traktuje czerwone ciałka krwi jak ciała obce, atakuje je i niszczy. Prowadzi to do drastycznego spadku ich liczby, ponieważ szpik kostny nie nadąża z wytwarzaniem następnych, w wyniku czego pojawia się anemia.

Hemobartoneloza bywa przenoszona przez pasożyty zewnętrzne. Możliwe jest zakażenie kociąt poprzez mleko matki lub krew w czasie transfuzji. Obecnie można tę chorobę skutecznie leczyć, należy jednak liczyć się z jej nawrotami, ponieważ niezwykle trudno całkowicie usunąć z organizmu bakterię *Hemobartonella felis*, która ją wywołuje.

Aby zapobiec chorobie, należy trzymać kota w mieszkaniu i nie pozwalać mu na kontakty z innymi wałęsającymi się kotami.

KOKCYDIOZA

Kokcydioza to choroba wywołana przez pasożytnicze pierwotniaki. Atakują one głównie kocięta i młode koty, zwłaszcza trzymane w niehigienicznych warunkach. Zarażone zwierzęta cierpią z powodu biegunki, są odwodnione, osowiałe i chudną. Pasożytnicze pierwotniaki mogą atakować nie tylko koty i psy, ale także ludzi.

Pierwotniak *Toxoplasma gondii* wywołuje toksoplazmozę, która objawia się brakiem apetytu i nieco podwyższoną temperaturą ciała. Przebycie choroby uodparnia organizm do końca życia. Toksoplazmoza może być niebezpieczna dla kobiet w ciąży, u których badania nie wykazały obecności przeciwciał przeciw temu pierwotniakowi. W przypadku zarażenia toksoplazmozą może dojść u nich do uszkodzenia płodu.

Chociaż u większości ludzi są obecne przeciwciała przeciwko temu pierwotniakowi, to lekarze zalecają, aby ciężarne kobiety nie czyściły kocich kuwet.

Diagnozowanie choroby polega przede wszystkim na badaniu kału na obecność cyst pierwotniaka. W leczeniu skuteczne są antybiotyki i sulfonamidy.

Aby uchronić kota przed zarażeniem się toksoplazmozą, nie należy pozwalać mu włóczyć się poza domem. Koty zwykle zarażają się, zjadając upolowane myszy i ptaki. Jeśli wasz kot nie poluje i nie wychodzi z domu, nie powinniście się martwić, że zachoruje. Ponadto nie karmcie kota surowym mięsem (w mięśniach mogą znajdować się cysty pierwotniaka). Zanim przyniesiecie do domu zabłąkanego kota, wybierzcie się z nim najpierw do lekarza, aby go zbadał.

KRZYWICA

Przyczyną tej choroby są niedobory substancji pokarmowych, w następstwie czego dochodzi do nieprawidłowego rozwoju kośćca u kociąt. Krzywica spowodowana jest niedostatecznym uwapnieniem kości podczas ich rozwoju. Główną tego przyczyną jest brak w diecie witaminy D, niezbędnej do zatrzymywania wapnia i fosforu w organizmie. Każda karma wysokiej jakości powinna zawierać konieczne dla rozwoju zwierzęcia witaminy i substancje mineralne. Zawsze należy sprawdzać, czy karma, którą dostaje kot, zawiera odpowiednią ilość witaminy D.

LISZAJ STRZYGĄCY

Liszaj strzygący jest grzybiczą chorobą zakaźną atakującą skórę, pazury lub sierść. Rozprzestrzenia się poprzez kontakt z chorym zwierzęciem lub zawartymi w powietrzu zarodnikami grzyba. Choroba ta jest znacznie częściej spotykana u młodych i chorych kotów. Może także towarzyszyć innym chorobom lub stresowi. Liszaj strzygący może przenosić się na ludzi.

Objawami są wypadanie sierści i tworzenie się okrągłych łysin oraz zniekształcone pazury. Chorobę trudno wykryć ze względu na podobieństwo objawów do innych chorób skóry. Poza tym może przebiegać bezobjawowo. Aby ją zdiagnozować, lekarz weterynarii musi zbadać skrawki skóry na obecność grzyba. Zwykle zaleca się miejscowe przemywanie zaatakowanych miejsc. Zabieg należy wykonywać w domu jeszcze przez kilkanaście dni. W ostrych stanach podaje się zwierzętom leki doustnie. Wszystkie zwierzęta w domu muszą zostać wykąpane w środku grzybobójczym, nawet jeśli nie wykazują objawów choroby.

Zapobieganie chorobie polega na regularnym sprzątaniu mieszkania w celu usunięcia zarodników grzyba. Pomóc może także trzymanie kota w domu. Obecnie istnieją szczepionki przeciw tej chorobie.

NADCZYNNOŚĆ I NIEDOCZYNNOŚĆ TARCZYCY

Nadczynność tarczycy, której podłożem jest nadmierne wytwarzanie hormonów tarczycy – to jedna z najczęściej spotykanych chorób układu hormonalnego kotów. Zazwyczaj dotyka starsze koty, ale mogą na nią cierpieć także kocięta.

Objawy nadczynności tarczycy są liczne i czasami utrudniają rozpoznanie schorzenia.

Choroba cechuje się: powiększeniem tarczycy, zanikiem mięśni, spadkiem masy ciała pomimo dobrego apetytu, a także niepokojem i rozdrażnieniem, wypływem z oczu, biegunką, wymiotami, intensywnym oddawaniem moczu, podwyższonym ciśnieniem krwi i przyspieszonym tętnem. Niekiedy uszkodzone są również nerki.

Schorzenie można zdiagnozować na podstawie osłuchania klatki piersiowej i badania poziomu hormonów tarczycy we krwi. Wykonując analizę moczu, można sprawdzić, czy nie są uszkodzone nerki, a prześwietlając klatkę piersiową, wykryć ewentualne zmiany chorobowe innych narządów.

Leczenie polega na podawaniu leków, które hamują wytwarzanie hormonów tarczycy. W niektórych przypadkach konieczne jest chirurgiczne usunięcie części tarczycy. Można także zastosować izotop jodu, który zahamuje aktywność tarczycy. Zabieg taki jest mniej stresujący dla kota, zwłaszcza w podeszłym wieku. Po usunięciu tarczycy kotu należy podawać hormony do końca życia.

Niedoczynność tarczycy, bardzo rzadko spotykana u kotów, wynika z niedostatecznego wytwarzania hormonów tarczycy. Zwierzę z niedoczynnością tarczycy może stać się agresywne, płochliwe lub niespokojne. Niekiedy

rozwijają się choroby skóry. Schorzenie można zdiagnozować, badając poziom hormonów we krwi.

Gdy badania potwierdzą niedoczynność tarczycy, kot
będzie musiał przyjmować hormony.

Chociaż nie ma co do tego całkowitej pewności, lekarze
weterynarii przypuszczają, że niedoczynność i nadczynność tarczycy mają podłoże genetyczne. Przyczyną bywają także stany zapalne i prawdopodobnie dieta (bogata
w jod). Aby zapobiec schorzeniu, należy podawać kotu
karmę dobrej jakości i w odpowiednich ilościach, a także
dbać o ogólny stan zdrowia zwierzęcia.

NIETRZYMANIE MOCZU

Nietrzymanie moczu, czyli jego niekontrolowane oddawanie, może wynikać z różnych przyczyn – na przykład
uszkodzenia czy choroby dróg moczowych. Schorzenie to
dotyka głównie stare koty, częściowo wskutek osłabienia
mięśni zwieraczy pęcherza moczowego, spowodowanego
wiekiem. Przyczyną nietrzymania moczu bywa też stres.

Wszelkie infekcje, uszkodzenie mózgu czy kręgosłupa,
kamienie moczowe i nowotwory mogą powodować niekontrolowane oddawanie moczu. Jego przyczyną bywają
także urazy miednicy lub zapalenie pęcherza.

Jeśli podejrzewacie, że wasz kot cierpi z powodu tego
schorzenia (które nie ma nic wspólnego ze znakowaniem
mieszkania), skontaktujcie się z lekarzem. Zleci on zba-
danie moczu, aby sprawdzić, czy przyczyną choroby jest:
infekcja, stany zapalne, cukrzyca bądź obecność kamieni
moczowych. Może również zalecić badanie ultrasonograficzne i prześwietlenie w celu skontrolowania droż-
ności dróg moczowych. Badanie ogólne wykaże, czy nie
są uszkodzone albo zainfekowane pęcherz bądź cewka

moczowa. Wypełniony pęcherz moczowy może wskazywać na zespół urologiczny kotów (FUS).

Podając kotu zaleconą przez weterynarza dobrej jakości karmę i chroniąc zwierzę przed stresem, zapewnimy mu długie życie w zdrowiu.

NIEŻYTOWE ZAPALENIA ŻOŁĄDKA

Zapalenie błony śluzowej żołądka może być przewlekłe.

Przyczyną podrażnienia błony śluzowej żołądka bywają: zjedzone rośliny trujące lub leki, zepsuty pokarm, a nawet trawa, infekcje bakteryjne, stres czy nagła zmiana diety.

Objawami choroby są: wymioty, biegunka, ciemny kał, anemia i podenerwowanie.

Nieżytowe zapalenie żołądka może wskazywać na wiele poważnych chorób. Lekarz weterynarii wskaże źródła choroby i sposoby zabezpieczania kota przed nimi. Źródłem choroby bywają rośliny trujące, leki i środki czystości. Kota można ustrzec przed chorobą, podając mu karmę dobrej jakości, namaczając suchą karmę przed podaniem i chroniąc zwierzę przed stresem.

Kocie sprawy: Kule sierści

Aby usunąć z przewodu pokarmowego zbitą w kule sierść, zwyczajowo zaleca się podawanie kotu parafiny. Obecnie jednak preferuje się stosowanie specjalnych preparatów, które, w przeciwieństwie do parafiny, nie usuwają z organizmu substancji odżywczych. Jeśli kule sierści wywołują wymioty, kot traci apetyt i spada jego masa ciała, skontaktujcie się z lekarzem weterynarii.

Jeśli uważacie, że wasz kot jest wrażliwy lub ma alergię na pewien rodzaj pokarmu, stopniowo zmieńcie go na inny i obserwujcie, co się będzie działo.

ODWODNIENIE

Do odwodnienia organizmu dochodzi wówczas, gdy ilość wydalanej lub zużytej wody przekracza ilość wyprodukowanej lub pobranej. Przy odwodnieniu organizm traci różne sole mineralne, w tym także sól kuchenną.

Bywa, że chory kot nie zaspokaja pragnienia, co zwykle prowadzi do odwodnienia organizmu. Gorączka, infekcje wirusowe, okaleczenia mogą powodować u zwierzęcia niechęć do picia (także do jedzenia).

Pewne schorzenia, takie jak: biegunka, wymioty, choroby nerek, gorączka czy przegrzanie, przyczyniają się do utraty wody przez organizm.

Przy odwodnieniu obserwuje się: przyspieszoną akcję serca i przyspieszony oddech, przesuszenie śluzówki jamy ustnej i nosa, zmniejszenie elastyczności skóry, spowolnienie pracy układu krążenia, zaburzenie świadomości, a nawet obniżenie ciśnienia krwi.

Podawanie wody i leczenie choroby, której towarzyszy odwodnienie, zwykle jest skuteczne. W ostrych stanach lekarz może zalecić podanie kroplówki podskórnie lub dożylnie. Zawiera ona zwykle wodę i sól, które pomagają przywrócić równowagę elektrolityczną.

Aby zapobiec odwodnieniu organizmu kota, należy: podawać mu dużo czystej, świeżej wody, utrzymywać w mieszkaniu odpowiednią temperaturę, upewnić się, czy jest zdrowy i sprawdzić, czy ma aktualne badania.

OTYŁOŚĆ

Jednym z najpowszechniejszych schorzeń kotów domowych jest otyłość, będąca rezultatem ich przekarmiania i niedostatecznej ilości ruchu. Problem otyłości staje się coraz częstszy nie tylko u kotów, ale także u psów i ludzi. Koty przybierają na wadze, gdy liczba dostarczanych organizmowi kalorii przewyższa ilość wydatkowanej energii. Jeśli masa ciała kota wynosi o 15–20% więcej od prawidłowej, to mamy do czynienia z nadwagą. Masa ciała zdrowego kota domowego nie powinna przekraczać 5 kg, chyba że są to koty dużych ras, jak maine coone czy kot norweski leśny. Jeśli więc wasz kot waży 12 kg, macie problem.

Otyłość jest poważnym schorzeniem. Prowadzi do nadmiernego obciążenia serca, płuc, stawów i mięśni, co powoduje u zwierzęcia ospałość i brak aktywności. Otyłość może być także przyczyną wielu chorób, na przykład cukrzycy, chorób wątroby i serca.

Czasami otyłość bywa następstwem innych schorzeń, jak niedoczynność tarczycy. Koty wykastrowane lub wysterylizowane oraz w podeszłym wieku miewają obniżoną przemianę materii. Jeśli kot zbytnio przybrał na wadze, należy zmniejszyć dzienną dawkę karmy lub zmienić ją na niskokaloryczną, przeznaczoną dla zwierząt dorosłych. Aby zapobiec otyłości, należy karmić kota regularnie, nie pozwalać na „podjadanie" między posiłkami i zapewnić mu dużo ruchu (patrz rozdział 7.).

OWRZODZENIA

Otwarte rany na skórze lub uszkodzenia błony śluzowej (dziąseł lub żołądka) mogą ulegać owrzodzeniu i stać się bolesne.

Owrzodzenia skóry często spotyka się u kotów; bywają wynikiem alergii, zapalenia skóry czy pasożytów. Leczenie polega na podawaniu leków doustnie lub miejscowo.

Owrzodzenia błon śluzowych zazwyczaj dotyczą przewodu pokarmowego i mogą być spowodowane: infekcją wirusową, alergią pokarmową, pasożytami lub spożyciem substancji trujących. Leczenie polega na podawaniu leków, zmianie diety czy (rzadko) na przeprowadzeniu zabiegu chirurgicznego.

Można zmniejszyć ryzyko choroby, uwalniając kota od pasożytów, podając mu karmę wysokiej jakości, chroniąc przed potencjalnymi alergenami.

PADACZKA

Padaczka charakteryzuje się powtarzającymi napadami drgawek będących zwykle objawem znacznie poważniejszych problemów zdrowotnych. Napady padaczkowe mogą być następstwem urazów głowy, zapalenia mózgu, nowotworów czy metabolicznych zaburzeń wywołanych nieprawidłową dietą lub zatruciem przez pasożyty.

Napad padaczkowy spowodowany jest wadliwym przewodzeniem impulsów w mózgu. Na ogół uporządkowane i kontrolowane przewodzenie impulsów elektrycznych podczas ataku staje się chaotyczne i nieprzewidywalne. Diagnoza nie jest prosta. Lekarz weterynarii musi zbadać nie tylko charakter napadów, ale również poznać ogólny stan zdrowia kota, jego dietę i zachowanie. Po wykonaniu kompletnych badań (w tym także neurologicznych) lekarz zadecyduje o leczeniu kota, zapisze leki przeciwpadaczkowe i ustali odpowiednią dietę. W nielicznych przypadkach może być konieczny zabieg chirurgiczny.

U niektórych kotów napady padaczkowe mijają, u innych pogarszają się, a u jeszcze innych nie ulegają zmianie. Jeśli wasz kot ma padaczkę, skontaktujcie się z lekarzem weterynarii, który spróbuje zmniejszyć częstość i siłę ataków.

Kot cierpiący na tę chorobę może stanowić zagrożenie dla samego siebie, a także dla was. Po napadzie zwierzę zachowuje się, jakby nic się nie stało i jakby nie pamiętało, że było agresywne. Nie ingerujcie w przebieg ataku, raczej sprawcie, aby w tym czasie otoczenie kota było dla niego bezpieczne. Można zmniejszyć szansę wystąpienia ataku i chronić kota przed okaleczeniami, infekcjami i trującymi substancjami, trzymając go w domu oraz zapewniając właściwą dietę i ilość ruchu.

PANLEUKOPENIA KOTÓW

Bardzo niebezpieczna choroba wirusowa, nazywana błędnie parwowirozą kotów albo zakaźną biegunką kotów, występująca przeważnie u osobników trzymanych na zewnątrz i zdziczałych, która często kończy się śmiercią zwierzęcia. Odporne na warunki środowiskowe wirusy panleukopenii przenoszą się z jednego kota na drugiego poprzez bezpośredni kontakt z zakażonym zwierzęciem lub pośrednio, poprzez kontakt z jego naczyniami. W przeciwieństwie do innych wirusów parwowirusy mogą stanowić źródło zagrożenia przez długi czas, nawet gdy znajdują się poza organizmem gospodarza. Często zwykłe środki dezynfekujące nie są skuteczne i trzeba zastosować specjalne preparaty, które można nabyć w lecznicach weterynaryjnych.

Panleukopenia atakuje wyściółkę jelit, szpik kostny oraz wszelkie komórki szybko się namnażające, powodując uszkodzenie żołądka, jelit, układu odpornościowego oraz anemię, a także sprzyjając wtórnym infekcjom. Obja-wami choroby są: wysoka gorączka, osowiałość, odwod-nienie, utrata apetytu i masy ciała, biegunka, wymioty oraz infekcje bakteryjne i wirusowe.

Panleukopenia jest głównym sprawcą śmierci wśród kociąt. Kotki w zaawansowanej ciąży, które uległy zakaże-niu, mogą urodzić kocięta z niedorozwojem móżdżku. Choroba ujawnia się około 3. tygodnia życia kociąt. Jej objawami są: spaztyczny, chwiejny chód, przechylona głowa i drgawki.

W przypadku zdiagnozowania choroby należy rozpo-cząć leczenie, zwłaszcza młodych kotów, ponieważ pan-leukopenia zabija bardzo szybko. Lekarz weterynarii po-winien zlecić wykonanie wielu badań, w tym także analizę krwi. Choremu kotu podaje się kroplówkę i antybiotyki, a w niektórych przypadkach przeprowadza transfuzję.

Upewnijcie się, czy wasz kot otrzymał w młodości od-powiednie szczepienia. Następnie należy przedsięwziąć wszelkie środki ostrożności, aby nie zawlec wirusa. Zapo-biegajcie kontaktom waszego czworonoga z osobnikami nieszczepionymi, zwłaszcza wałęsającymi się. Uniemożli-wiajcie mu dożywianie się „na własną rękę". Nie pozwa-lajcie także wałęsać się poza domem. Każdego nowego kota powinno się zbadać na obecność wirusa panleukope-nii, zanim przestąpi próg domu.

PROBLEMY JELITOWE

Z przewodem pokarmowym kotów może wiązać się wiele problemów zdrowotnych, jak: nieprawidłowa budowa, infekcje, nowotwory, niedrożność, nieprawidłowe ukrwie-nie i inne.

Wady wrodzone

Czasami kocięta rodzą się z takimi wadami, jak: niedrożne czy skręcone jelita, niedrożny otwór odbytowy,
zaczopowanie jelita smółką. Często u nowo narodzonych
kociąt nie można przeprowadzić zabiegu chirurgicznego,
ponieważ może być to zbyt niebezpieczne (zwłaszcza
znieczulenie ogólne).
U dorosłych kotów operacje jelit zwykle się udają.

Infekcje

Wirusy lub bakterie mogą atakować jelita, powodując
groźne choroby. Pierwotniaki (np. z rodzaju *Toxoplasma*
czy *Giardia*) bywają przyczyną biegunek lub objawów podobnych, jak przy zapaleniu żołądka. Robaki i owrzodzenia mogą być także źródłem infekcji. Leczenie polega
zwykle na podawaniu leków i zmianie diety.

Nowotwory

Nowotwory zwykle atakują jelito grube, chociaż czasami również jelito cienkie. Jeśli są złośliwe, mogą szybko
tworzyć przerzuty na innych narządach. Leczenie polega
na podawaniu odpowiednich leków, przeprowadzeniu
zabiegu chirurgicznego i zmianie diety.

Niedokrwienie jelit

Niewystarczająca ilość krwi dopływająca do jelit, spowodowana niedrożnością naczyń krwionośnych ściany
brzucha, a nawet skaleczeniem, może przyczynić się do
obumarcia tkanek, co będzie wymagać chirurgicznego
usunięcia fragmentu uszkodzonego jelita.

Niedrożność jelit

Nowotwory, kamienie moczowe czy zaparcia mogą powodować niedrożność jelit. Do tego schorzenia przyczyniają się także połknięte ciała obce, na przykład igły ze świątecznej choinki. (Należy dokładnie sprzątać podłogę, aby nie było na niej igieł!) Leczenie polega przede wszystkim na podawaniu leków, przeprowadzeniu zabiegu chirurgicznego i zmianie diety.

Chociaż u kotów owrzodzenia przewodu pokarmowego zdarzają się rzadko, to mogą rozwinąć się w wyniku niewłaściwej diety, stresu czy infekcji wirusowej. Leczenie polega na podawaniu leków i zmianie diety.

Niedrożność jelita grubego można wykryć na podstawie prześwietlenia i badań endoskopowych (polegających na wprowadzeniu do jelita specjalnego narzędzia przez odbyt) całego jelita grubego (kolonoskopia) lub końcowego fragmentu okrężnicy esowatej (wziernikowanie esicy), analizie kału i biopsji.

Zaczopowaniu się jelit można zapobiec, podając kotu karmę wysokiej jakości, dbając o ogólny stan jego zdrowia, trzymając w domu i przeprowadzając co roku badania kontrolne.

PROBLEMY Z ZĘBAMI

Zdrowe zęby i dziąsła to podstawa dobrego samopoczucia kota. Chore zęby utrudniają pobieranie pokarmu i często powodują ból.

Typowymi problemami związanymi z uzębieniem są osad i kamień nazębny prowadzące do stanów zapalnych dziąseł, następnie próchnica, wybicie lub złamanie zębów, paradontoza i choroby nowotworowe.

Aby ograniczyć osadzanie się kamienia nazębnego,

należy podawać kotu przede wszystkim suchą karmę. Sprawdzajcie regularnie zęby waszego pupila i czyśćcie je przynajmniej raz lub dwa razy w miesiącu bawełnianym tamponem zwilżonym w roztworze ciepłej wody i sody. Można także użyć pasty do zębów dla zwierząt. Kamień nazębny powinien usuwać wyłącznie lekarz weterynarii, bowiem zabieg wykonywany jest w znieczuleniu ogólnym.

Ubytki w zębach przypominające próchnicę u ludzi rzadko spotyka się u kotów. Jeśli podejrzewacie, że wasz kot ma ubytki w zębach, skontaktujcie się z lekarzem weterynarii, który może je wyleczyć. Wypadanie i łamanie się zębów prowadzi do rozwoju infekcji, powstawania ropni i zapalenia dziąseł. Ponadto sprawia zwierzęciu ból i może powodować wypadanie kolejnych zębów. Jeśli wasz kot gubi lub łamie zęby, udajcie się z nim natychmiast do lekarza. Gdy u podstawy zębów osadza się nalot i kamień nazębny, wchodzące w ich skład bakterie wytwarzają toksyny, które powodują obrzęk dziąseł i ich bolesne zapalenie. Dziąsła są wówczas zaczerwienione, podczas gdy zdrowe powinny być różowe. Mogą krwawić, zwłaszcza podczas jedzenia lub w zabawie, gdy kot gryzie.

Nieleczone zapalenie dziąseł, może być przyczyną paradontozy, choroby powodującej uszkodzenie włókien ozębnej i utratę zębów. Można uchronić kota przed tą groźną chorobą, zapobiegając osadzaniu się kamienia na zębach i lecząc zapalenie dziąseł.

Ubocznymi skutkami zapalenia dziąseł i paradontozy, oprócz przykrego zapachu z pyszczka kota, są: utrata apetytu i masy ciała, ból, podrażnienie i zachowania agresywne.

PROBLEMY ŻOŁĄDKOWE

Schorzenia żołądkowe są dość powszechne i pojawiają się z różnych powodów.

Infekcje

Chociaż zwykle przed infekcją chroni silny kwas solny, to jednak choroby żołądkowe mogą wystąpić, gdy ochronne działanie kwasu ulegnie osłabieniu. Wrzody żołądka, choć rzadko nękają koty, pojawiają się, gdy zostanie zaburzone wytwarzanie śluzu chroniącego błonę śluzową i ścianę żołądka przed silnym kwasem solnym.

Niektóre wirusy mogą powodować taki stan, atakując i niszcząc błonę śluzową, w następstwie czego upośledzają wytwarzanie śluzu.

Nowotwory

Choroba nowotworowa, rzadko spotykana u kotów, miewa różne podłoże: genetyczne, pokarmowe lub związane z warunkami środowiskowymi. Objawami są: utrata apetytu, spadek masy ciała oraz wymioty.

Leczenie polega na przeprowadzeniu zabiegu chirurgicznego, podawaniu leków i zmianie diety.

Choroby żołądka można wykryć badaniem gastroskopowym, polegającym na wprowadzeniu do żołądka wziernika – elastycznej rurki umożliwiającej jego obejrzenie. Czasami wykonuje się biopsję tkanek.

Można zmniejszyć ryzyko wystąpienia chorób żołądka, podając kotu karmę wysokiej jakości, trzymając zwierzę w domu, z dala od kotów zakażonych wirusami lub bakteriami. Nie należy karmić kota jedzeniem przeznaczonym dla ludzi ani tanią karmą.

ROPNIE

Ropniem określa się nagromadzenie ropy w uszkodzonej i ulegającej martwicy tkance. Ropnie często powstają w wyniku pogryzień lub zadrapań i nieleczone mogą powodować ogólne zakażenie organizmu, które zagraża życiu. Często towarzyszy temu gorączka. Kotu wykastrowanemu, który nie opuszcza mieszkania, rzadko zdarzają się tego typu dolegliwości, chyba że toczy walki z innymi domowymi zwierzętami.

Głaszcząc i pielęgnując sierść kota, łatwo wykryć wszelkie ropnie. O ich istnieniu może także świadczyć zachowanie zwierzęcia. Kot może odczuwać ból i będzie chciał się ukryć, niekiedy będzie głośno miauczał lub wylizywał zranione miejsca.

Być może konieczne okaże się chirurgiczne otwarcie ropnia i przemycie go środkiem odkażającym, wprowadzenie antybiotyku i założenie drenu. Prawdopodobnie będziecie musieli podawać kotu antybiotyk i przykładać ciepłe kompresy. Skóra poniżej rany powinna być oczyszczana, aby wypływ z rany jej nie drażnił.

STRUPIEŃ WOSZCZYNOWY

To zakaźna choroba grzybicza, która rozwija się przede wszystkim na głowie zwierzęcia. Zarażenie następuje przez kontakt z chorymi kotami, myszami czy szczurami. Objawami są szarożółte strupy o nieprzyjemnym zapachu, wyglądające jak miseczki. Po odpadnięciu strupa widoczna jest zaczerwieniona i wilgotna skóra. Leczenie polega na stosowaniu doustnie leków grzybobójczych lub – miejscowo, płynów do przemywania chorych miejsc i zależy od stopnia rozwoju choroby. Aby zapobiec rozprzestrzenianiu się schorzenia, należy zachować czystość w mieszkaniu oraz odizolować chore koty od innych zwierząt.

TĘŻEC

Jest to poważna, często śmiertelna choroba atakująca centralny układ nerwowy. Wywołuje ją zakażenie rany bakterią *Clostridium tetani*. Wydaje się, że koty są bardziej odporne na tę chorobę niż ludzie (z tego powodu koty rzadziej niż ludzi szczepi się przeciw tężcowi). Formy przetrwalnikowe bakterii występują w glebie, odchodach, a tak naprawdę – prawie wszędzie.

Objawami są: tężcowe kurcze mięśniowe głowy (w tym szczękościsk) i tułowia (sztywna postawa), gorączka, niepokój, trudności w oddychaniu, wrażliwość na dotyk i światło. Po rozpoznaniu choroby lekarz poda kotu antybiotyk. Można zmniejszyć ryzyko wystąpienia choroby, trzymając kota w domu.

WIRUSOWE ZAPALENIE OTRZEWNEJ (FIP)

Innym zakaźnym schorzeniem upośledzającym układ odpornościowy kotów jest wirusowe zapalenie otrzewnej (*FIP – Feline Infectious Peritonitis*). Istnieje na szczęście przeciw niemu szczepionka. Wirusowe zapalenie otrzewnej powodowane jest przez koronawirusy, które atakując białe ciałka krwi, osłabiają zdolności obronne organizmu. Choroba występuje zwykle w przegęszczonych populacjach kotów i często zdarza się wśród zwierząt sprzedawanych w sklepach.

Wirusowe zapalenie otrzewnej przenosi się z jednego kota na drugiego poprzez kontakt z moczem zakażonego zwierzęcia oraz jego kałem i śliną, a także brudne pojemniki na pokarm i wodę lub kuwetę. Typowymi objawami

choroby są: podwyższona temperatura ciała, której nie
można obniżyć za pomocą leków, utrata apetytu i masy
ciała, wymioty, biegunka, anemia, osowiałość, gromadzenie się płynów w otrzewnej i opłucnej, nieprawidłowa
praca nerek, nadnerczy i wątroby, cukrzyca, porażenie
mięśni, drgawki oraz zmiany w zachowaniu kota. Chore
zwierzęta często narażone są na wtórne infekcje i choroby
skóry.

W celu zdiagnozowania wirusowego zapalenie otrzewnej należy pobrać próbki krwi, moczu oraz płynów
z otrzewnej i opłucnej. Chociaż jest to choroba śmiertelna,
leczenie wtórnych infekcji może przedłużyć kotu życie
i poprawić jego samopoczucie.

Chorobie można zapobiegać, trzymając zwierzę w domu, by nie miało kontaktów z innymi wałęsającymi się
kotami. Pamiętajcie, zanim przyniesiecie do domu znale-
zionego kota, idźcie z nim do lekarza weterynarii, aby go
dokładnie zbadał.

WŚCIEKLIZNA

Wścieklizna, znana również jako wodowstręt, jest chorobą
wirusową porażającą układ nerwowy. Wirus przenosi się
na kota przez pogryzienie lub zakażenie rany śliną chorego zwierzęcia. Następnie wraz z krwią dostaje się do mózgu, wywołując u kota napady szału, paraliż i skurcze
mięśni oddechowych. Choroba nie jest uleczalna i kończy
się śmiercią zwierzęcia. Głównymi nosicielami tej choroby
w Europie są lisy, ale także gryzonie oraz borsuki. Koty należy szczepić przeciw wściekliźnie co roku, począwszy od
12. tygodnia życia.

WYMIOTY

Wymioty bywają objawem poważnych chorób. Mogą być spowodowane: pasożytami, zatruciem pokarmowym, owrzodzeniami, nowotworami, cukrzycą, uszkodzeniem nerek lub wątroby, chorobami żołądka i jelit, wirusami, zalegającymi w przewodzie pokarmowym zbitymi kulami sierści, a nawet stresem. Na szczęście, ich przyczyny nie zawsze są groźne. Może je wywołać na przykład zjedzona trawa czy spożycie zjełczałego pokarmu. Chociaż zwykle nie budzą u właścicieli zwierząt niepokoju, to jeśli się nasilają, mogą prowadzić do odwodnienia i osłabienia kota. Gdy wymioty nie ustępują, należy skontaktować się z lekarzem.

Jeśli pomimo wymiotów kot wygląda zdrowo, spróbujcie karmić go małymi porcjami pokarmu i namoczoną suchą karmą. Nie pozwólcie mu zjadać roślin doniczkowych czy substancji chemicznych. Jeżeli kot wymiotuje tylko po zjedzeniu określonego pokarmu, należy wyeliminować go z diety zwierzęcia i obserwować, co się będzie dalej działo. Powinno się także częściej szczotkować futerko kota, aby zapobiec tworzeniu się zbitych kul sierści, które mogą zalegać w przewodzie pokarmowym.

Jeśli w mieszkaniu są inne zwierzęta (zwłaszcza inny kot), odizolujcie od nich waszego pupila do czasu znalezienia przyczyny choroby.

ZAĆMA (KATARAKTA)

Z wiekiem kota na jego soczewkach pojawia się niebiesko-szare zmętnienie. Są to oznaki starzenia się, będące wynikiem stopniowych zmian gęstości płynów w gałce ocznej. Zaćma jest niebolesnym schorzeniem powodującym pogorszenie widzenia u zwierzęcia i nie wymaga leczenia.

Zmętnienie soczewki powoduje u kota osłabienie zdolności widzenia, szczególnie nocą, a także krótkowzroczność. Chociaż związane jest zwykle z procesem starzenia się, to jednak może być spowodowane uszkodzeniem jej podczas walk toczonych przez waszego pupila z innymi zwierzętami. Zaćma bywa także skutkiem cukrzycy lub zatruć substancjami chemicznymi. Leczenie polega zwykle na wykonaniu zabiegu chirurgicznego. Zmętnioną soczewkę usuwa się całkowicie lub częściowo, co poprawia zdolność widzenia.

Chrońcie kota przed żrącymi substancjami, nie wypuszczajcie go z mieszkania, trzymajcie z dala od innych agresywnych kotów, które mogłyby poranić jego oczy. Stosujcie właściwą dietę, by nie dopuścić do cukrzycy czy otyłości, które często przyspieszają rozwój zaćmy.

ZAKAŻENIE WIRUSEM NIEDOBORU IMMUNOLOGICZNEGO KOTÓW (FIV)

Chorobę wywołuje retrowirus, który ma podobną strukturę do wirusa odpowiedzialnego za zespół niedoboru odporności u ludzi (HIV). Wirus FIV (*Feline Immunodeficiecy Virus*) atakuje wyłącznie koty, zarówno domowe, jak i dzikie, ale nie jest groźny dla innych zwierząt. Powoduje, że zaatakowane komórki organizmu wytwarzają coraz więcej wirusów. Choroba może rozwijać się natychmiast po zakażeniu wirusem. Często jednak koty mogą być nosicielami wirusa, nie wykazując objawów chorobowych.

Wirus FIV (podobnie jak wirus HIV) atakuje komórki układu odpornościowego, zwłaszcza leukocyty T, które odgrywają istotną rolę w zwalczaniu infekcji. Osłabiając układ odpornościowy kotów, wirus czyni je podatnymi na wiele chorób, które w zwykłych warunkach byłyby zwalczane przez organizm zwierzęcia.

FIV przenosi się z jednego kota na innego poprzez ślinę lub krew. Dlatego też najczęstszym sposobem zakażenia wirusem są pogryzienia.

Koty zakażone wirusem FIV mogą mieć podwyższoną temperaturę ciała, biegunkę, drgawki, powiększone węzły chłonne, niedobór białych ciałek krwi, obniżoną masę ciała, odmiennie się zachowywać, cierpieć z powodu niegojących się ran czy ostrego zapalenia jamy ustnej. Ponieważ wirus osłabia układ odpornościowy kota, zwierzę może być podatne na infekcje bakteryjne i wirusowe oraz choroby pasożytnicze. Często u zakażonych kotów rozwijają się choroby nowotworowe, układu oddechowego, dróg moczowych oraz dochodzi do zaburzenia funkcjonowania układu nerwowego.

Leczenie tej śmiertelnej choroby może trwać całe życie kota i nie przynieść oczekiwanych rezultatów. Jak dotąd nie wyprodukowano szczepionki przeciw FIV. Można jedynie próbować chronić kota przed wtórnym zakażeniem (możliwym z powodu osłabienia układu odpornościowego zwierzęcia), podając mu antybiotyki, specjalną karmę, dodatki witaminowe i kroplówki (w razie potrzeby) oraz zapewniając spokój. Zakażone koty powinny być trzymane w mieszkaniu, z dala od innych.

Najprostszym sposobem ochrony kota przed FIV jest niewypuszczanie go z domu i niepozwalanie na kontakty z nieznanymi kotami. Kupując kota, wybierajcie sprawdzone hodowle, a nie sklepy ze zwierzętami. Z nowym kotem udajcie się do lekarza już w pierwszym tygodniu po kupieniu go.

ZAPALENIE CEWKI MOCZOWEJ

Zapalenie cewki moczowej spowodowane jest zwykle różnymi infekcjami, ale jego przyczyny bywają też inne, na przykład uraz czy podrażnienie wywołane substancjami chemicznymi. Chore koty z trudnością oddają mocz i mogą odczuwać przy tym ból.

Zapalenie cewki moczowej może prowadzić do zapalenia pęcherza moczowego i tworzenia się kamieni moczowych. Leczenie polega zwykle na podawaniu antybiotyków w celu zwalczenia infekcji. Może być także konieczna zmiana diety. Trzymanie kota w domu zazwyczaj pomaga zapobiegać chorobie.

ZAPALENIE OSKRZELI

Zapaleniem oskrzeli nazywa się stan zapalny błony śluzowej, wyściełającej rurkowate przewody łączące tchawicę z płucami.

Zapalenie oskrzeli może rozwinąć się w następstwie: przeziębienia, grypy, wdychanych substancji drażniących czy alergii na pokarm, kurz, zanieczyszczenie powietrza, dym papierosowy lub leki.

Choroba dotyka głównie starsze koty, ale może pojawiać się u zwierząt w każdym wieku. Jej objawami są: kaszel, ciężki oddech, kichanie czy charczenie, gorączka, utrata apetytu i osowiałość.

Ostre zapalenie oskrzeli jest często następstwem infekcji wirusowej. Zwykle pojawia się zimą i atakuje przede wszystkim koty trzymane poza domem. Chory kot stale kaszle i można zaobserwować żółtawe lub zielonkawe plwociny. Ostremu zapaleniu oskrzeli może towarzyszyć gorączka.

Przewlekłe zapalenie oskrzeli ma podobne objawy do

ostrego zapalenia, ale mogą one trwać długo, nawet kilka
miesięcy. Przeciążenie układu oddechowego może prowadzić do jego uszkodzenia. W przypadku przewlekłego
zapalenia oskrzeli stają się one z czasem mniej drożne,
w konsekwencji czego mniej tlenu dociera do organizmu.
Zainfekowane drogi oddechowe są także bardziej podatne na infekcje powodujące dalsze ich uszkodzenie.

Nieleczone zapalenie oskrzeli może przerodzić się
w astmę, rozedmę płuc, zapalenie płuc lub inne niebezpieczne dla życia kota choroby. Zwierzęta powracające do
zdrowia powinny być trzymane w cieple, najlepiej w domu. Można podawać leki wykrztuśne, aby ułatwić kotu
wydalanie zalegającego w drogach oddechowych śluzu
i płynu. Często przepisywane są antybiotyki. Pomóc mogą
też inhalacje. Zwierzę należy chronić przed nadmiernym
wysiłkiem jeszcze przez kilkanaście tygodni, nawet jeśli
wydaje się, że powróciło do zdrowia.

ZAPALENIE PĘCHERZA MOCZOWEGO

Zapalenie pęcherza moczowego dotyka częściej starsze koty i powodowane jest obecnością kamieni moczowych lub
infekcją bakteryjną. Schorzenie to może się rozwijać, gdy
koty z różnych przyczyn wstrzymują oddawanie moczu.

Zalegający w pęcherzu mocz stanowi idealne środowi-
sko dla rozwoju bakterii.

Choroby nowotworowe także mogą prowadzić do zapalenia pęcherza moczowego. Utrudnione oddawanie
moczu bywa też spowodowane chorobami nerek.

Objawami zapalenia pęcherza moczowego jest częste
oddawanie małych ilości moczu, czemu towarzyszy ból,
a koty przy wykonywaniu tej czynności fizjologicznej
miauczą. Mocz ma nieprzyjemny zapach. Chore zwierzę

jest niespokojne i podenerwowane, może okazywać nie-
wytłumaczalną agresję. Często gorączkuje.

Lekarz weterynarii może zdiagnozować zapalenie pęcherza moczowego, biorąc do analizy próbkę moczu.
Zwykle za chorobę odpowiedzialne są bakterie (można je
określić na podstawie hodowli kultur bakteryjnych). Czasami w moczu może pojawić się krew.

Leczenie polega przede wszystkim na podawaniu antybiotyków przez kilka dni (jednak zależy to od ustaleń lekarza). W niektórych przypadkach konieczny jest zabieg
chirurgiczny w celu usunięcia kamieni moczowych. Jeśli
zapalenie pęcherza moczowego jest objawem poważniejszych chorób, na przykład nowotworowych, nerek czy
wątroby, to leczenie jest trudniejsze.

Nieregularne oddawanie moczu jest bardzo poważnym
schorzeniem i nieleczone może prowadzić do śmierci
zwierzęcia.

Sprawdźcie, czy kot ma stały dostęp do czystej, codziennie zmienianej wody do picia. Regularne przyjmo-
wanie płynów zapewnia prawidłową pracę nerek. Czyśćcie kuwetę kota i regularnie wymieniajcie żwirek lub inny
rodzaj ściółki (przynajmniej raz dziennie). Brudna ściółka
będzie miała przykry zapach, a wtedy kot zacznie unikać
kuwety i wstrzymywać mocz, co może prowadzić do zapalenia pęcherza moczowego. Ponadto zapewnijcie zwierzęciu wystarczającą ilość ruchu, aby jego organizm funk-
cjonował prawidłowo.

ZAPALENIE PŁUC

Przyczyną zapalenia płuc bywa infekcja, ale także inne
choroby, jak zakażenie wirusem niedoboru immunolo-
gicznego kotów. Zapalenie płuc spowodowane przez bak-

terie, wirusy, pierwotniaki czy grzyby objawia się: gorączką, dusznością, kichaniem, wypływem z oczu i nosa, kasz-
lem z żółtawymi wykrztusinami, a czasami z krwią. Schorzenie to najczęściej dotyka starsze koty i całkiem młode.

Lekarz weterynarii może wykryć chorobę, osłuchując
kota lub na podstawie prześwietlenia płuc czy badania
plwocin.

Leczenie zależy od przyczyny choroby i może polegać
na podawaniu antybiotyków lub innych leków. Choremu
kotu należy zapewnić spokój i chronić go przed wszelką
aktywnością, mogącą dodatkowo osłabić płuca. Zwierzę
powinno przebywać w dobrze ogrzanym pomieszczeniu,
bez przeciągów. Powrót do zdrowia może trwać 6–8 tygodni. W tym czasie nie należy pozwalać choremu kotu kon-
taktować się z innymi zwierzętami.

Można zmniejszyć ryzyko zachorowania kota na zapalenie płuc, trzymając go w domu, z dala od chorych kotów. Starszym kotom i kociętom należy zapewnić ciepłe
i suche pomieszczenie.

ZAPALENIE SPOJÓWEK

Zapalenie spojówek jest bardzo częstym schorzeniem
u kotów. Zwykle występuje jako objaw przy zakaźnym
katarze kotów. Nieleczone może prowadzić do trwałego
uszkodzenia oka.

Objawami zapalenia spojówek są: świąd spojówek, wypływ z oczu, mrużenie oczu lub ich zamykanie. Wypływ
z oczu może być przezroczysty lub żółtawy, a jego obecność świadczy o infekcji bakteryjnej. W ostrych stanach
zapalnych spojówka jest zaczerwieniona i napuchnięta.
Takie zapalenie spojówek nazywane bywa potocznie
„czerwonym okiem".

Zapalenie spojówek występuje często u nowo narodzonych kociąt. Spowodowane jest infekcją bakteryjną i musi
być leczone, aby nie doszło do trwałego uszkodzenia oka.
Zwykle stosuje się antybiotyki. Chcąc uniknąć stanów zapalnych, należy kotu przemywać oczy.

Trudno wprawdzie zapobiec zapaleniu spojówek u nowo narodzonych kociąt, ale u dorosłych kotów można
uniknąć tego schorzenia, zachowując czystość w otoczeniu zwierząt oraz trzymając je w mieszkaniu.

ZAPALENIE STAWÓW

Choroba charakteryzująca się stanem zapalnym i sztyw-
nością stawów. Schorzenie może dotyczyć jednego lub
wielu stawów i objawia się ich bolesnością, a nawet znie-
kształceniem.

Jednym z rodzajów zapalenia stawów jest zapalenie kości i stawów – degeneracyjna choroba stawów. Chrząstki
pokrywające końce kości ścierają się z wiekiem. A ponieważ działają jak oliwiarka, ich brak powoduje deformację
nasady kości, a tym samym zniekształcenie stawu. Choroba ta zwykle dotyka starsze koty, ale może także pojawiać
się u zwierząt mających genetyczne predyspozycje, zbyt
dużą masę ciała czy nieprawidłową budowę kośćca.

Reumatoidalne zapalenie stawów rzadko zdarza się
u kotów. Zaliczane jest do chorób autoimmunologicz-
nych. Układ odpornościowy atakuje i niszczy własne komórki i tkanki i często dochodzi do deformacji stawów.
(U kotów może także występować zwyrodnienie stawów
biodrowych – więcej informacji na ten temat w dalszej
części rozdziału).

Oznaki zapalenia stawów są liczne. Bywa, że kot porusza się wolniej i mniej sprawnie. Po dużej dawce ruchu mo-

że kuleć czy okazywać nadmierną wrażliwość na dotyk.
W ostrych stanach miewa problemy z poruszaniem się.

Lekarz może zlecić prześwietlenie chorych stawów,
a także pobrać ze stawów płyn w celu sprawdzenia, czy
nie są zainfekowane. Badanie krwi na obecność białek pozwoli zdiagnozować ewentualne reumatoidalne zapalenie
stawów.

Choć zapalenie stawów jest chorobą nieuleczalną, to jej
skutki można łagodzić, podając odpowiednie leki.

Kocie sprawy: Śmiertelne leki

Nigdy nie należy podawać kotu paracetamolu (acetaminofenu)
czy ibuprofenu, ponieważ są dla kotów śmiertelne. Czasami,
choć nie ma to racjonalnego uzasadnienia, podaje się kotom
aspirynę, ale tylko pod ścisłą kontrolą lekarza weterynarii.
Przynosi ona wprawdzie ulgę psom i ludziom, lecz w przypadku kota nawet małe jej dawki mogą spowodować śmierć.

Można zapobiec zapaleniu stawów lub złagodzić jego
objawy, dbając, aby kot nie miał nadwagi, zapewniając
mu dużo ruchu oraz suche i ciepłe, bez przeciągów, miejsce do spania. Jeśli to konieczne, można położyć pod posłaniem matę grzewczą (należy sprawdzić, czy nie jest
zbyt gorąca).

ZAPALENIE UCHA ZEWNĘTRZNEGO

Zapalenie ucha zewnętrznego bywa spowodowane przez
pasożytnicze roztocze, na przykład świerzbowce, ale zwykle jest skutkiem infekcji. Bakterie lub grzyby rozwijające się
w zewnętrznym przewodzie słuchowym, a nawet na mał-
żowinie usznej, mogą wywołać różne schorzenia skórne.

Chore koty zwykle potrząsają głową i często mają uszy zatkane zbitymi czopami woskowiny. Wnętrze ucha bywa zaczerwienione i wydziela się z niego nieprzyjemny zapach. Jeśli u waszego kota stwierdzicie takie objawy, natychmiast skontaktujcie się z lekarzem weterynarii, aby zdiagnozował chorobę i zalecił właściwe leczenie. Nieleczona infekcja może szybko przedostać się do ucha środkowego i wewnętrznego, powodując ich trwałe uszkodzenie. Lekarz weterynarii przemyje uszy kota specjalnym płynem oraz zastosuje antybiotyki. Prawdopodobnie konieczne będzie wykonywanie powyższych zabiegów również w domu. Lekarz może przepisać maść, którą należy stosować ściśle według jego wskazań. Poproście, aby przepisał środek do codziennej pielęgnacji uszu kota, który moglibyście w razie potrzeby zastosować sami w domu.

Można zmniejszyć niebezpieczeństwo wystąpienia zapalenia ucha zewnętrznego, regularnie czyszcząc uszy kota i chroniąc je przed świerzbowcami. Zapobieganiu chorobie sprzyja trzymanie zwierzęcia w mieszkaniu.

ZAPARCIA

W większości przypadków zaparcia są czasowo pojawiającą się, bolesną dolegliwością dotykającą koty w różnym wieku. Niekiedy mogą jednak świadczyć o poważniejszych schorzeniach, szczególnie w przypadku starszych kotów. Większość kotów wypróżnia się przynajmniej raz dziennie, choć tak naprawdę ważniejsze jest, czy robią to regularnie, a nie jak często. Nagłe zaburzenie oddawania kału może świadczyć o chorobie kota.

Zaparciom towarzyszą także: brak apetytu, wymioty, zmiany w zachowaniu. Zwierzęta stają się niespokojne i podrażnione. W ostrych przypadkach kot staje się ospały i ma podwyższoną temperaturę ciała. Przyczyną tego schorzenia bywa także: podeszły wiek kota, brak błonnika w diecie, osłabienie mięśni i pracy jelit, zaburzenia w funkcjonowaniu wątroby, niedoczynność tarczycy, brak ruchu, choroby nowotworowe, zwłaszcza okrężnicy, stres, zatkanie jelit kulami sierści, uszkodzenie kręgosłupa czy odwodnienie.

Jeśli wasz kot będzie miał zaparcie, udajcie się do lekarza weterynarii, aby zbadał przyczynę. Po wykluczeniu poważnych chorób, lekarz może zalecić stosowanie środków przeciw zaparciom. Należy zwiększyć ilość błonnika w diecie, podając zwierzęciu namoczoną, specjalną suchą karmę lub dodając błonnik do jego jedzenia. Podawanie kotu raz dziennie ćwierć łyżeczki do herbaty oliwy z oliwek również może okazać się skuteczne.

Zapewnienie zwierzęciu większej ilości ruchu także może wpływać na poprawę pracy jelit. Regularne szczotkowanie futerka zmniejszy niebezpieczeństwo zalegania sierści w jelicie. Kot powinien mieć stale czystą wodę do picia. Jeśli woda nie jest codziennie zmieniana, nie będzie chciał jej pić, co może doprowadzić do odwodnienia waszego pupila. Kot z objawami odwodnienia będzie z trudem oddawał bardzo twardy kał.

ZESPÓŁ UROLOGICZNY KOTÓW (FUS)

U kotów cierpiących z powodu zespołu urologicznego (*FUS – Feline Urologic Syndrome*), w pęcherzu moczowym występują złogi, piasek lub kamienie moczowe, które powodują zatrzymanie moczu oraz wtórną infekcję dróg moczowych. Schorzenie to dotyka głównie starsze koty, a jego objawami są: częste oddawanie niewielkich ilości moczu, obecność krwi w moczu, intensywne wylizywanie okolic narządów rodnych, podrażnienie oraz twardy wypełniony pęcherz moczowy.

Kamienie, wykryte na podstawie badania krwi i prześwietlenia, blokujące cewkę moczową mogą stanowić poważny problem. Zatrzymanie moczu bywa przyczyną uszkodzenia nerek na skutek zbierających się toksyn, a nawet śmierci zwierzęcia.

Kamienie tworzą się z czasem i ma to bezpośredni związek z rodzajem diety kota (chociaż z ostatnich badań wynika, że istotną rolę w rozwoju chorób mogą mieć czynniki genetyczne).

Pokarm spożywany przez kota wpływa na odczyn kwasowości jego moczu. Zła dieta może być przyczyną tworzenia się kamieni. Ponadto czynnikami sprzyjającymi ich powstawaniu są: duża ilość magnezu w pokarmie, niedobór płynów, co powoduje duże stężenie moczu, jego sporadyczne oddawanie oraz dieta oparta wyłącznie na suchej, złej jakości karmie. Jeśli wasz kot ma trudności z oddawaniem moczu, skontaktujcie się natychmiast z lekarzem weterynarii. Zbada on pęcherz moczowy, by sprawdzić, czy nie nastąpiło zablokowanie cewki moczowej.

FUS występuje częściej u samców niż samic, ponieważ cewka moczowa kocurów jest cieńsza i dłuższa niż u kotek. Analiza moczu może potwierdzić obecność piasku i kamieni moczowych. Rozwojowi tych ostatnich sprzyja zasadowy odczyn moczu.

Całkowite zatrzymanie moczu może spowodować śmierć zwierzęcia w ciągu 48 godzin na skutek zatrucia organizmu. Koty, które załatwiają się poza domem, są szczególnie narażone na niebezpieczeństwo, ponieważ właściciel nie jest w stanie sprawdzić, czy i jak często zwierzę oddaje mocz. W ostrych stanach niezbędne jest cewniko-

wanie i hospitalizacja zwierzęcia, a także podanie kroplówki w celu przepłukania nerek i odtrucia organizmu.
    Leczenie może polegać na stosowaniu leków zakwasza-
jących mocz. Lekarz weterynarii może także zalecić specjalną dietę zapobiegającą tworzeniu się kryształków soli
i zwiększającą kwasowość moczu. Aby zapobiec chorobie
u kota, należy podawać mu karmę dobrej jakości, która
zakwasza mocz i nie zawiera dużej ilości magnezu. Dieta
powinna być urozmaicona – oprócz suchej karmy należy
również dawać zwierzęciu karmę z puszki, która zawiera
stosunkowo dużo tłuszczów. Nie bez znaczenia jest także
zapewnienie kotu odpowiedniej ilości ruchu oraz stałego
dostępu do czystej, świeżej wody, a także często wymie-
niana ściółka w kuwecie.

Przydatne adresy

Polski Związek Felinologiczny
04-534 Warszawa
ul. Potockich 116/36
tel./faks: (0-22) 815 23 66
e-mail: pzf@wp.pl
www.koty-pzf.pl

**Międzynarodowe Towarzystwo Miłośników
Kotów (ICF)**
20-417 Lublin
ul. Kunickiego 35 pokój 29
tel. 0 609 959 600
faks (0-81) 747 92 38
e-mail: icf@poczta.fm

Polska Federacja Felinologiczna – Felis Polonia
90-508 Łódź
ul. Gdańska 112
tel. (0-42) 664 85 87
e-mail: info@felispolonia.pl
http://felispolonia.pl

Indeks